中国科学家首次揭示慢性疾病的真相
基因营养学最新成果将使慢性疾病成为历史

医生向左
病人往右

曾志锋 博士 / 著

广东省出版集团
花城出版社

二〇二〇年十二月二十二号阅

图书在版编目(CIP)数据

医生向左　病人往右
曾志锋著.
－广州:花城出版社,2007.2
ISBN 978－7－5360－5019－8

Ⅰ.医…　Ⅱ.曾…　Ⅲ.个人－保健　Ⅳ.R161

中国版本图书馆 CIP 数据核字(2006)第 159704 号

责任编辑:钟洁玲　孙虹
装帧设计:世文图书

出版发行　花城出版社
　　　　　(广州市环市东路水荫路 11 号)
经　　销　全国新华书店
印　　刷　天津市蓟县宏图印务有限公司
　　　　　(天津蓟县渔阳南路 21 号)
开　　本　787×1092 毫米　　16 开
印　　张　15
字　　数　116,000 字
版　　次　2007 年 2 月第 1 版　2007 年 2 月第 1 次印刷
定　　价　28.80 元

如发现图书残缺请直接与印刷厂联系调换。

目 录

推荐序一

读了《医生向左,病人往右》一书,非常高兴的为之作序。曾志锋博士运用基因营养学对治愈疾病、健康计划的理论,对人类追求健康理念及对肿瘤和慢性病的康复做出了重要的贡献。

当前,人们生活水平的提高和医疗技术的进步,本应该让人们活得更健康,但我们现实的情况是,由于紧张快节奏的工作,超负荷的工作压力,加上不正确的饮食习惯和对健康知识掌握、理解得不够科学,致使很多人处于亚健康状态,疾病也不时地在一些人身上发生。绝大多数人得了疾病,都会马上去医院求医,都想在最短的时间内来恢复健康,但是有些疾病可以在医院很快得到治愈,有些疾病由于在医治的过程中使用了不恰当的方式方法,从而没有使人们得到渴望得到的理想化的健康目的。值得庆贺的是,随着人类分子生物学、生物信息学、生物化学、生物物理学等现代生命学学科的迅猛发展,人们渴望能有一种不用手术、不去医院,就能达到彻底摆脱疾病困扰的办法成为可能。当你读了曾博士的这本书之后,你会恍然大悟,会对疾病的治愈、对身体自身的修复能力、对健康的理念都会有一个全新的认识。这本书深入浅出,描述基因营养学及身体各器官作用知识,与怎样看待健康和对待疾病并用,让你懂得疾病的由来,细胞的新陈代谢过程,以及哪些疾病是你必须到医院处理的,哪些疾病是可以你自己可以运用基因营养学知识自助救治的,并且经过一段时间以后,你会大幅度地提高生存质量,从而真正地得到了健康。

我今年体检时发现甲状腺出了问题,当时医生建议我手术治疗,我的一位朋友在我之前,得了与我同样的甲状腺疾病,她已经在医院做了手术,并几次善意地建议我抓紧去做手术。可我天生就是害怕开刀动手术,看了两个医院以后,还是下不了决心运用手术来治疗。一次偶然的机会,使我知道了运用基因营养学可以调整疾病,之后又认识了曾博士。开始曾博士向我介绍服用营养素进行调整时,我还有点疑虑,但听到有些人服用以后,疾病慢慢地痊愈,身体一天天好起来的事例,使我下决心在曾博士的指导下开始服用营养素调整疾病。从执行调养建议到现在,我的身体状况在不断地向好的方面转变,使我更加坚定了运用基因营养学的知识将身体调整到最佳状态的信心。

《医生向左,病人往右》的出版发行,是一大幸事。我相信读过此书的人,都会从中受益,只要你系统地执行书中的保健方法和MCS 健康计划,你就会活得越来越轻松快乐,并会得到你想要得到的健康。

辽宁省工会副主席

娄彦莉

2006 年 9 月 17 日

推荐序二

会走路,并不是什么值得炫耀的本领,走路的姿势,动作的协调,都不是关键的问题,重要的是,你需要知道你前行的方向。只有明确方向才能到达正确的目的。

日新月异的科技不断推出新的医疗设备和药物,医生们也变得越来越依赖于新药与手术,可即便如此,我们看到许多病人还是无法得到他们期望的健康,原因是医生们忽略了病人的真正需要:是恢复他们身体的健康。这种忽略致使医生们往往专注于各种疾病的治疗,并乐于用药物压制各种疾病症状,结果却掩盖了疾病的真相。

《医生向左,病人往右》,这个名字取得非常好,它明确告诉人们,医生和患者所走的方向有可能截然不同。

从胆结石到手术切除胆囊,病人获得的根本不是健康,而是结石的问题扩大成了胆囊都没有了的问题。

如果治疗关节炎所用的激素导致了骨质疏松和内分泌失调,你认为这是病人需要的健康,还是问题的扩大?如果用骨质疏松和内分泌失调来换得关节暂时不痛,你替患者想想,这个交易划算吗?

正像我们的思维是不可分割的一样,身体也是不可分割的。分割了的思维,是残缺的,是会破坏我们完整系统的思想认识的。而被分割了的身体,是不可能给我们健康的。如今,许多病人,从一走入医院,就开始被分割。病人被分到各个科:内分泌、心血管、消化内科、糖尿病专科、呼吸内科,等等。似乎身体各个系统是被分隔着,各生各的病,互不相干。显然,这样的认知和行为是个冒险,病人被带入未知的结果中,他们并不知道,那个趴在那里给他看病的医生,此时可能已忘记了他是个整体,而正在将他分割。病人正是因为走错了路才成为病人,而当他们向医生问路的时候,医生却带着他们去了医生想去的地方,而不是病人应该去的地方。

疾病,其实是错误的方向加上持续的积累而造成的。要改变你不愿意看到的结果——健康的失去,你就需要恢复正确的方向。病人需要的方向,就是迈向健康的方向,而迈向健康需要的,是健康生活所需要的条件:阳光、空气、水、食物、运动、心情、睡眠。

这些简单而重要的条件,是生命健康所依赖的。而有些医生始终在企图灌输一个观念给病人:可以依靠某种医疗技术和手段来解决身体整体的问题,很少去为病人创造这些必要条件;而病人,走错了路,却没有人告诉他,从而导致了错误的结果,并且还在继续着各种错误。

生命的伟大,在于对自然条件的灵活运用。每一个自然的生命,都学会随时去利用自然所给予的恩赐,来使自己健康、强壮。自然这两个字,很少有人能真正意识到。什么是自然?自然的核心,在于随时的变化。运用自然,就在于运用变化。

疾病的发生,正是一种变化,是身体对抗各种伤害而产生的变化,这是身体的智慧,也是自然的智慧。可惜,人们害怕变化,也就害怕了疾病。人们做了许多不正常的事情来伤害身体,却要求身体的反应依然正常,一旦身体有了不正常的反应,就急着去抑制,却不明白,那正是身体发出的信号。

如果有一天,医生们不再埋头走自己的路,不再把注意力仅放在走路姿势的研究上，而是把注意力关注在帮助病人找回正确的方向，那就是医学的成功，那就是病人的福音。

曾志锋博士，他的灵敏，是很少见的。其深厚的医学基础以及悟性，使得他在很短的时间打开了一扇智慧之门，他伸出的手，正在为病人指明一个方向。我想，方向对了，患者目的就一定可以到达。

林海峰

整体自然疗法创始人，运用整体自然疗法理念在东南亚地区支持超过 20 万的慢性病病人恢复健康。著有保健类畅销书《健康一生》。

2006 年 10 月 12 日

序 言

无法得到健康的真正问题所在

人们受疾病困扰的真正原因，并不是因为没有高明的医生或者是缺少健康的资讯。真正的原因是人们没有做一个正确的选择并系统地坚持一个完整的健康计划。

现代医疗科技的进步，使得几乎每个医学院的毕业生都有能力去处理很多疾病所带来的不适症状。但是医疗水平的进步并没有能让人们活得更健康。当突然一天检查出患有高血压、糖尿病、痛风、肿瘤等慢性疾病时，便意味着要么终身与药物为伴，痛苦地度过余生；要么选择在医院接受昂贵而痛苦的治疗方案。结果变成原本只是高血压，在不断的服药过程中演变成心脏衰竭、肾脏衰竭、关节炎，越是治疗，全身的疾病越多。这时候，便开始埋怨医生不够尽心，埋怨医生的医术不够高明。其实，这不是医生的错，每一个医生都非常尽心尽力地去救治患者。但是，医生只擅长控制疾病带来的不适症状，假如你想通过医生来获得健康，那是强人所难的。你要知道，**疾病症状的控制不等于获得健康**。然而大多数人并没有意识到这个问题。

这里有两个原因：首先，人们对疾病的认知有偏差。其次，人们没有正确的健康概念。

你得为自己的选择负责，健康把握在你手里，除了你自己，没有人能让你获得健康。

大部分人对疾病的认知停留在头痛、发烧、咳嗽等症状的感受上或者是糖尿病、高血压、心脏病等这些医学名词上。**这种认知水平就像盲人摸象一样，根本无法认清疾病的真相。**本书将为你揭示疾病的真相，告诉你哪些疾病是你必须到医院处理的，哪些疾病是必须由你自己负责的。该医院处理的得交给医院，该你自己处理的就得自己处理，不能赖在医院，不然医生处理不了，你还要埋怨人家，这样就太不厚道啦。

对疾病的认知不到位造成人们对健康基本上没有任何概念。只是单纯地认为不生病便是健康。这种想法，让大部分的人在身体出现不舒服时，第一时间想到的是要把症状去掉，以为这样就可以获得健康。所以，我们会很习惯地选择各种药物抑制各种不舒服的症状，比如退烧、止咳、降血压、降血糖，我们甚至会选择手术来割掉身体的某个器官以避免可能存在的发生意外的风险。

虽然这些方法都可以快速地把烧退掉，把咳止住，把血压控制在正常的指标范围，把肿瘤从身体中快速地去掉，**但是大部分的人并没有因为这些医疗方法的使用而使身体更健康。**经常使用抗生素的孩子，抵抗力越来越低；长期使用降压药的人，经常伴随着睡眠不好、食欲下降、心跳加速等不良反应。当这些不良反应发生时，我们是否应该做个认真的思考，而不是一味地将所有责任和希望都寄托在医生身上呢？很多患者和家属可能会觉得思考这些事情应该是医生或专业人士需要做的事情。这种想法可以理解，**并不是所有人都应该成为疾病或者健康方面的专家，但是你必须关心可能发生在自己或家人身上的事情，**这样在面对疾病困扰的时候，你才有做选择的能力,你才能为自己的选择负责。一个人,是否可以健康地活在世上,基本上是自我选择的结果。选择错误的方向,将产生错误的结果,但是当这些结果出现时,你不能去责怪任何人,那是你的选择,没有人可以为你负责,除了你自己。

飞速发展的健康资讯,提供给人们很多不同的选择。如果你想要得到健康资讯,到处都能找到相关的书籍和信息。各种保健方法在民间流传,例如多吃蘑菇可以抗癌,运动可以保证健康等等,但是我们却很少听说有什么人真的因为吃蘑菇或跑跑步,打打太极拳就把癌症给治好的。难道是那些说法不对吗?事实上,民间流行的很多方法都是对健康有益的,但是为什么对大部分的人都没有很好的效果呢?这里涉及到两个问题:第一,人们通常无法系统地执行这些保健方法;第二,人们通常无法长期坚持一个保健方案。

相对于疾病,健康要复杂得多。就像我们可以很清楚地知道轮船触礁会产生什么后果一样,我们可以很容易判断疾病所带来的灾难,但是,要保证轮船正常航行,那是一个复杂的系统工程问题,获得健康也是一样的道理。**健康是个系统工程,我们必须有系统的解决方案才有可能获得终身的健康,健康是需要计划的。**

大部分的人存在的问题是,听别人说什么保健方法好时,通常不做任何思考便开始尝试。这种尝试通常并没有系统地有计划地去考虑人体健康所需的真正条件。这种尝试通常得不到理想的效果,所以很难坚持下去。

效果不明显是很多人放弃某种保健方法的一个重要理由,另一部分人则会因为调养过程中出现的各种不适症状而放弃调养。一

疾病症状的控制不等于获得健康,医生擅长控制疾病症状,但是如果你想通过医生来获得健康,那是强人所难。

个好的健康计划是需要坚持才能真正获得健康的。**我们常说坚持就是胜利,这其实是真理。换句话可以这样说,坚持就有健康。**本书基于基因营养学的理论揭示疾病的最新理论,并提供 MCS 健康计划,包含了日常饮食(Meal)、日常清洁(Cleanse)及睡眠(Sleep)三个方面综合的健康计划。我的很多朋友,在坚持执行这个计划过程中身体不断地得到改善,慢性病逐渐消失,开始活得越来越轻松和健康。本书将会向你展示获得健康的详细过程,这是一个非常有趣的过程。我将尽力告诉你身体反应的真相,让你可以在各种不良反应发生时,依然可以有办法坚持,最终获得健康。

第一部分
正确面对疾病

　　观念决定了行动的方向，行动的方向决定了事情的结果。如果想要好的结果,得先选择一个好的观念。例如,从上海到北京,最重要的不是你乘飞机、火车、汽车还是走路,而是你是不是真的从上海往北京方向走,假如你乘飞机,但却是飞往广州的方向,那么即使是走路的人最终也能到北京,而你却因为方向不对而无法到达。

给病人的三个忠告

● 不要急躁
● 读懂身体的信号
● 把康复的希望寄托在自己身上

病人往右

第一章 不要急躁

焦急的心境

让你从来都没能好好地聆听身体的语言

她在哭泣、在呐喊！

然而

你却没有懂得她的信号

以为她是在和你作对，让你没有办法好好生活、好好工作。

于是

你毫不犹豫地

使用了药物

残忍地将卵巢、肝脏、肾脏割掉，仅仅因为那里长了个肿块。

你天真地以为，那样就可以得到健康

结果

只能在痛苦中度过余生。

其实

她从来都没有想过要伤害你

只是想要告诉你要好好爱惜身体

只可惜

你不懂她的信号

而她也无法说出直白的语言！

药物和手术可以快速地帮你去除身体的

不适症状，但是无法让你获得健康！

一个人，是否可以健康地活在世上，基本上是自我选择的结果。选择错误的方向，将产生错误的结果。当这些结果出现时，你不能去责怪任何人，那是你的选择，没有人可以为你负责，除了你自己。

一、面对疾病，急有用吗

大部分人生病后的第一反应，一个字：急！这些年，在不断地与各种各样的病人打交道的过程中，经常被他们问到"请问我什么时候能好"，那种恨不得今天吃药明天就好的急切心情，表露无遗。不单是病人急，有些家属更急。许多孩子的父母，孩子生病，急得跟热锅上的蚂蚁一般，看了真叫人觉得无奈。

生病也许会让你少赚几千万，会让你面临失业，面临死亡的威胁，面临失去亲人的痛苦等等。你也许会有很多急的理由，但是，我非常想让你知道，急没有用！读完本书你也会知道根本没有必要那么着急，问题总会有解决的办法。**太急于去解决疾病问题，将使本来不紧急的病情变得紧急。**

你也许会急着叫医生把你小孩的烧给退下来，急着把咳止住、急着消炎，结果你的小孩变得抵抗力越来越差，药越用越猛，但效果却越来越差，最后孩子变成了药罐子或吊瓶大王。医生也许会急着把你的子宫、卵巢割掉，结果导致你性情大变，整天要靠激素生活，变得肥胖臃肿，呼吸困难，关节疼痛，苦不堪言。你也许会急着让医生把你的血压降下来、血糖降下来、尿酸降下来，结果你要吃一辈子的药，不但不能好，最终还搞得肾脏衰竭、心脏衰竭，并发症发作，过早进入衰老。你也许还会急着去找各种各样的方法在身上试来试去，听信广告、谣传、骗子，最后财倒退了，灾却没有消，反而惹来更多的疾病。你会发现，**急，其实并不能把疾病治好，并不能将问题解决好，反而带来更多、更大的麻烦，疾病不会因为你心急就好得更快。**面对疾病，你需要的是一个冷静平常的心，这样你才不会因为疾病的出现而乱了方寸。方寸一乱，康复的希望便会消散无踪。

二、病什么时候能好

很多朋友总喜欢问一些类似"我什么时候能好"的问题，在这里也顺便简单地回答一下这个问题。

疾病的康复有自己的规律，每种器官，每种细胞的新陈代谢都有一个周期。 例如：

皮肤的新陈代谢周期是：4~6 个月

肌肉的新陈代谢周期是：2~3 年

筋的新陈代谢周期是：3~5 年

骨的新陈代谢周期是：7 年以上

理想状态下，细胞新陈代谢的时间也就是疾病痊愈的时间。

例如，皮肤的新陈代谢时间是 4~6 个月，那么单纯的皮肤疾病痊愈的时间也就是 4~6 个月。但是**假如不给予细胞足够的养分和最佳的生存环境，细胞便无法完成正常的新陈代谢过程**，这样的情况别说 6 个月，就是几年也未必可以使皮肤痊愈。这也是为什么很多人疾病总是反复发作的原因。

其他关于肌肉、筋和骨骼方面的疾病也是一样的道理，肌肉方面的疾病痊愈需要 2~3 年时间，筋痊愈的时间大约需要 3~5 年，人的其他组织器官如心脏、肝脏、胃等是筋和肌肉的组合，所以痊愈的时间也大约需要 3~5 年。

我们所说的痊愈是指在最佳状态的重生，当然每种疾病并非都

大部分的人无法系统地坚持一个健康计划，
在尝试各种保健方法时通常无法获得真正的健康。

是有器官完全损坏的，所以很多身体呈现出来的症状，在有足够的养分和最佳的条件支持下，部分疾病可以在这些周期的时间之内得到改善。

但是你不能对你的身体说，我要快点好，麻烦你快点，在一秒钟之内长出一个肝脏给我吧。医学上确实可以依靠药物做到一秒钟把你的痛去掉，也可以快速地把你的烧给退下来，但是，**身体却无法说好就好，必须经历一个康复的过程**。很多人并不明白这个道理。只要一生病，最急切询问医生的问题就是什么时候可以见到效果。我碰见很多这样的病人，他们明明身体已经开始康复，明明身体的状态越来越好，但是他们却无法忍受漫长的疾病康复过程，也无法忍受疾病康复过程中的痛苦，结果在中途放弃了继续坚持。**康复其实并不是一个多么神秘的事情，很多病人都有机会康复，但是并不是所有的病人都有足够的耐心让身体完成康复过程**。我为那些中途放弃的朋友感到惋惜，在离成功一步之遥的时候，放弃了重生的机会，那将会是他们及家人一生的遗憾。我希望所有能够看到本书的人，在生病时，先放弃追求速效的心态，沉住气！

第二章 读懂身体的信号

在美国，流行着一个古老的笑话：一个农夫看到他的邻居用一块木板狠揍一匹骡子，就问道："你为什么揍它？"邻居回答说："我在试图引起它的注意。"这里引用这个笑话没有任何恶意，不过我们许多人确实像那匹骡子。我们的身体不停向我们发出不同的信号，然而大部分的人并没有意识到身体所发信号的真正意义，反而对身体传递出来的各种信号产生误解。在生活中，几乎没有人会喜欢发生在身体上面的不良症状，每次出现不舒服时便跑到医院，打针吃药，极力消除不舒服的症状。但是，你知道吗？每当你做这些动作时，你的身体都在哭泣！她需要的不是你善意地把症状消除，你这个动作会让身体更加难受而不是解脱。她需要的是你能知道到底发生了什么事，然后采用正确的方法支持她渡过难关。

一、发烧

很多的父母，看到自己的小孩发烧就紧张得不得了，立刻送医院打针吃药，害怕发烧会烧坏脑细胞。其实大部分人都只是听人说或者听医生说而已，这只是人云亦云、道听途说罢了。说到烧坏脑袋，下面的情况才能造成这种状况：在发烧时小孩子缺水，水分不够而造成大脑缺水，使人体无法完成发烧的改善工作而引起的。现在都市的小孩，父母把生活照顾得好好的，但是每次发完烧之后人

很多保健方法都是有利于健康的，
选择一个适合自己并能坚持的健康计划是非常必要的。

都变得不活跃,懒惰,爱撒娇,体质也变得越来越不好。这些都是小孩在发烧过程中没能摄入足够的水分便急着退烧而遗留的问题。通常小孩退烧后,家长便会松口气,以为烧退下来就是把问题解决了,但是当你因为控制病情而松口气的时候,疾病便开始得到喘息的机会并伺机作乱,在发烧过程中,没能及时补充水分而在退烧后继续让身体处于缺水的状态,那么这时便很容易造成大脑缺水,虽然小孩子不会因为一两次的大脑缺水而表现出很多异常,但假如每次发烧大脑都却水的话,便要小心了。所以各位家长,孩子发烧时,第一时间想到的除了退烧之外,请想尽办法补充更多的水分,这也是一件非常重要的事情。

发烧是人体免疫力清除有害物质的信号,是人体自我改善的表现,是人体免疫系统对侵入人体内的病毒细菌或滞留在人体的毒素发起战争的信号。在高温环境,外源侵入的细菌病毒无法正常复制,从而丧失大量繁殖的能力,这时是人体杀灭这些病毒细菌的最好时机。另外,发烧可以清除滞留在骨骼中的毒素。发烧可以促使人体加快代谢速度,可将滞留在人体的毒素转变成能量,被人体所利用。骨质疏松的病人,甚至可以利用发烧的时机,大量补充钙等相关的营养素,可以增加骨质密度,改善骨质疏松的状况。

身体从来不做毫无意义的事情,发烧需要消耗人体很多的养分才能完成,所以**只有在足够的养分的支持下人体才能够完成发烧的过程。**这跟生火取暖一样,没有足够的柴是没有办法产生足够的热量来供人取暖的。有很多病人,在病了很久后发现好像好久都没有发烧了,便很开心,以为是体质增强了,不会感冒了。其实不然,慢性病的病人,长期服药,身体积累了大量的药物带来的毒素,通常也没什么胃口,吃的东西也不多,他怎么可能会有足够的养分来发烧呢?

很多老年人也不容易发烧。老年人的胃肠功能退化,消化吸收都不如年轻时,身体也没法得到足够的养分。所以这些人,并不是因为体质好不发烧,而是没有能力发烧。**大部分患有慢性病的病人假如在康复过程中会不断地发烧,这是一个值得好好把握的时机,必须采取有效的措施来支持身体完成发烧的过程,将残留在体内的有害物质清除出体外。**病人必须从现在开始就珍惜每次发烧的机会,好好地把握时机使身体得到康复。当然发烧不让你随便吃药,并不代表说你可以什么事都不做,任其发展。发烧时你只要补充大量的果蔬汁(1000~2000毫升),同时补充1000毫克天然维生素C和3粒天然萃取的松果菊片剂。果蔬汁可以用胡萝卜、西芹、黄瓜等根茎类的新鲜果疏单独榨汁或者几种混合在一起榨汁。很多的小孩子也许并不会配合地喝果蔬汁,怎么办?其实答案很简单,我知道很多父母都有灌小孩吃药的经历,既然药都有办法让小孩吃下去,难道果汁会比药物更难吗?事情能否做好,不在于事情的难度有多大,而在于你的决心有多大。

二、咳嗽

咳嗽也是人们比较烦恼的一个症状。很多人害怕咳嗽会损伤肺部,会导致呼吸道出血等等,有些人甚至认为不停地咳嗽是肺癌的表现。事实到底是怎样的呢?西方现代医学病理学关于咳嗽的描述

忌急躁是大部分病人和家属必须首先要关注的问题,
这比关注疾病本身更重要。

是"咳嗽是一种保护性反射动作,通常咳嗽反射能有效清除呼吸道内的分泌物或进入气道的异物;但咳嗽也有不利的一面,剧烈的咳嗽将导致呼吸道出血"。这句话非常值得我们去品味。医学上对咳嗽的生理作用是肯定的,咳嗽本身是一个防御反应。**但是大多数人,为了防止一些不好的症状出现,通常都是采取止咳的方法来抑制咳嗽。这种"防范于未然"的策略,让人哭笑不得**,但居然也能大行其道。到底是哪里出了问题?难道为了怕出现呼吸道出血,就宁愿选择以后得呼吸道癌症吗?咳嗽、吐痰等都是排出肺部、呼吸道垃圾的最佳办法。人体肺泡的薄膜就像空调的空气滤清器,每使用一段时间后便会布满灰尘、污物,这样空调的制冷效果便大打折扣,所以每隔一段时间都必须做滤清器的清洁,才能让空调的制冷

效果恢复。

人体的肺泡是气体交换的重要场所,当肺泡的薄膜布满了灰尘或污物时,人体也必将因为氧气供应不足而致病,如气喘、胸闷、呼吸困难等。咳嗽的作用是用来振动肺部,使停留在肺泡薄膜的污物脱离,这些污物和人体的体液结合成痰,然后在呼吸道纤毛细胞的作用下运送到咽喉,排出体外。肺部的垃圾不及时清除,肺功能必将受到影响,人体自然无法健康。如果遇到咳嗽便采用止咳药、抑制的话,最终便有可能演变成肺癌、鼻癌等呼吸系统的癌变,所以除非危及生命的紧急情况,否则尽量少用止咳的方法来抑制呼吸道的排毒现象,而应尽量支持人体完成向外清除有害物质的过程,这样才有机会使病人真正早日康复。可以采用下列方法来帮助人体完成咳嗽的过程:用 600 毫升温水溶解 1000 毫克水解钙离子粉服下,同时补充 15000 国际单位天然类胡萝卜素胶囊、800 国际单位天然维生素 E 胶囊。小孩子用量减半。如果持续咳嗽超过两个星期,那么请咨询专业人士给予专门的指导。但是在咳嗽不止而真正的诱发因素未确定时,尽量少使用止咳类或祛痰类药物来抑制咳嗽。

三、身体的其他信号

上文关于发烧和咳嗽的说明目的是告诉你:不要将并非让你将自己应该承担的责任全部交给医生。虽然在一些危急的疾病出现时,我们可以依靠医生或在专业人士的指导下,适当使用药物来控制病情的发展,不至于发生生命危险,但是在病情得到控制后,作

疾病不会因为你着急而康复得更快。

为患者和家属必须有清醒地意识到：治病的责任在医生，而康复的责任在自己，必须采取正确的措施支持身体的康复。让患者认清自己的责任也是本书写作的目的之一。也许有很多人一直将治病和康复划上等号，认为治病的最终结果就是康复，其实这是一个误区。采用各种医疗手段治疗疾病的真正意义是控制突发的病情，让本来危急的疾病得到控制，而康复则是患者在病情控制后在日常生活的饮食、睡眠、娱乐、运动等多方面协同作用的结果。因此我们必须更加深入地去了解身体发出各种信号的真正意义，这样才能使我们在康复过程中很好地理解身体的语言，采用合适的方法积极配合身体的各种生理变化，从而完成康复的过程。

除了上面谈到的发烧、咳嗽之外，身体还会发出很多其他的信号，例如疼痛、疲劳、腹泻等等，其实**这些不舒服的症状都是身体给我们的信号，并无恶意**。限于篇幅，我无法在这里将所有的症状和疾病都一一列出来告诉你到底这些症状和疾病在人体中的真正意义。但是你必须明白，**你的身体从来都不会做伤害你的事情，身体里面发生的每一件事情都有它特殊的意义**。就像发烧，假如我不告诉你，你根本不会想到它会是你康复的关键。还有咳嗽，你曾经对它们是多么深恶痛绝，但是你却从来都不会想到，它竟然是你的身体在苦苦战斗，要把有害的物质排出去，来保护你。你却一直都那么害怕发烧、害怕咳嗽，想尽办法要消灭它们。所以给大家一个建议：**假如你真的无法读懂身体给你的信号，那么请你也不要轻易地把这些信号关掉**。当然你也可以通过下面的分析来读懂身体的信号，这对你来说也是一个非常不错的选择。

人们所了解的疾病其实是一些症状的描述或医学名词，这些症状或疾病的名称其实是人体内一些生理反应的体现，如下文所示：

● 人体与外源物质斗争表现出来的症状：高烧、疲劳、疼痛
● 人体清除体内毒素表现出的症状：失眠、炎症、呕吐、腹泻、排汗、流眼泪、便血、咳血、各种皮肤病
● 人体修补受损组织表现出的症状：疼痛、疲劳
● 人体被动防御表现出的症状：息肉、囊肿、肿瘤、纤维化
● 器官过度使用表现出的症状：溃疡、高血压、糖尿病、心脏病、甲状腺功能紊乱等

传统的生理学分类在科学研究的角度来说是非常有意义的，

疾病的康复有自己的规律，每种组织器官都有新陈代谢的周期。

而对临床而言则过于繁杂,无法一针见血地反映疾病的本质所在。所以在这里,我们采用与传统生理学不同的生理现象描述方式,将身体的生理反应分成人体与外源物质斗争、人体清除体内毒素、人体修补受损组织、人体被动防御、器官过度使用五种生理现象。这种分类方法使我们能够准确地找到疾病所代表的真正意义,从而能够有针对性地找到解决办法。针对上面的五种生理现象,我们相应地也有五种疾病的解决方向:提高免疫力、增强组织修复的能力、提高排毒能力、提高防御能力、释放压力。详细的疾病解决方案将在后面的篇章中进行详细地说明,这里只需要大家大概了解一下便可。

第三章 把康复的希望寄托在自己身上

> 这世界不会有任何神医来给你健康，你应该相信你的
> 身体的健康有自己康复的能力。

一、为自己的健康负责

生病了，人们很自然地会想到去医院治疗，然而到底谁应该为疾病负责？当然很多人会认为应该是医生，为什么？也许大家都这么认为，或者说大家都认为医生是专业人士，应该为疾病负责。应该是这个样子吗？

举个简单的例子，你把你家价值连城的古董打破了，应该由你来负责还是应该由修补花瓶的专业人士负责？你也许可以埋怨师傅的手艺不够好没有办法完全还原，但是你是否也应该反省一下自己为什么要把它打破呢？

医生的职责当然是救死扶伤，我们可以看到死和伤都是非常紧急的状态，尽力救治是医生的责任，而避免这种状况的出现或者紧急状况得到缓解之后恢复的责任，便在于病人。大部分的慢性疾病的康复，责任更在于病人。这是因为大部分的慢性病形成与患者日常生活的饮食、睡眠、娱乐、运动等各方面息息相关，假如期望医生能够给个神奇的药丸或注射一个神奇的药水就能让慢性病康复，那几乎是不太可能的。并不是医生的无能，而是到目前为止我们还没有这样的神物。在很多人心目中，治病就是获得健康，然而这是一个非常大的误区，上文也提到治病只是让疾病紧急的状态

疾病康复的时间不取决于你的个人意愿，
而取决于人体细胞新陈代谢的周期。

变得不那么紧急。而健康是需要通过身体重新获得足够的正确的营养物质，才能够得到的。

很多病人没有弄明白，自己应该为自己的病负责，所以没有想过除了去医院自己还能为自己的健康做些什么。很多医生也没有弄明白，自己的责任只是治病，但却花了很多的精力在做自己也不知道有无意义的事情，弄出很多麻烦，本来好心想帮助病人解决问题，但却让医患之间的关系不断恶化并不断升级。这是一件非常令人遗憾的事情。

我极力地告诉我的朋友，我只是在你旁边支持你的人，健康是需要自己努力的。这并不是推卸责任，而是在真正帮助他们。因为，我再怎么高明也没有办法代替他们睡觉、代替他们吃早餐、代替他们的身体长出新的组织器官，健康的点滴，来源于生活的点滴。而我顶多也是一个能够告诉你如何正确生活的人，而不是给你健康的人。

写到这里，想起那个关于懒婆娘的故事：一个懒婆娘，懒得宁愿让自己饿

朝　　昼　　夜

死也不愿动手去转一下挂在脖子上的大饼。她饿死了，是他丈夫的过错还是因为她实在太懒？

希望病人能抛弃这种懒，也许很多人是没有意识到自己应该承担的责任，所以希望病人从现在开始要意识到这一点。在我的朋友见我之前，我会交待助手拿些书籍让他们回去看，看完之后我才会决定是否要见这个人。有些人非常不理解这个行为，我便说，假如你希望我能帮到你，那么你起码得让我看到你的诚意，假如你连一本有益你健康的书籍都不愿意看的话，我凭什么来相信你会为自己的健康做更多的事情？假如你不愿意为自己的健康负责的话，你来见我又有什么意义？

很多病人很想早日康复，但是却总喜欢把希望寄托在别人身上。

我常常听见"曾博士，遇到你，我就有救了"、"曾博士，我全指望你啦"之类的话。每每听到这样的话，我都在苦笑。现在的人，一生病，就希望找到一个神医，把身体的康复寄托在别人身上。

其实，**任何人都不能把你的病治好，除了你自己**。即使我很高明，高明的原因并不是因为我可以帮你凭空长块肉或帮你换个器官，而只是懂得根据你身体状况的变化，准确地判断出你的身体康复所需要的材料而已。至于病能不能痊愈，那完全是要靠病人自己。举个例子，假如有一天，你走路时不小心，摔了一跤，把膝盖给弄破了，然后你跑来告诉我说"唉，曾博士，听说你很厉害，请你长块肉给我吧"，天哪，我怎么可能帮你把肉长出来呢？要长也是你自己的身体才能长啊，我顶多也就是告诉你应该吃什么食物，你的身

医学的进步，可以快速地帮你控制不舒服的症状，但是，
人体却还没有进化到能够一秒钟长出肝脏的程度。

体可以快点长肉出来啊。假如我告诉你怎么吃才能长肉，但是你自己不去找来吃的话，肉还是不能长出来的啊。

或许很多人是对自己没有信心，因为很少人会跟他们讲获得健康要靠自己。但是怎么靠自己？自己真的能做到吗？当然假如不了解自己的身体的话，你可能会没有这样的信心，一旦了解了身体的神奇后，或许你的感觉就会不一样。让我们来看看到底身体有多么神奇吧！

二、奇妙的人体器官

人体绝对是一个精密的系统，并不像大部分人想象的那样机械呆板。只要给予足够的支持，它可以随时调集全身的各种细胞和器官发动战争、进行防卫、清理垃圾、发展生产、维护通信、修复受损组织。它就像一个强大的国家，不断地清除异己，保证自身利益最大化。

举个简单的例子，我们从组织器官的层面看，人体由许多器官组成，各种器官在人体中承担着各自的功能。

脑垂体：

脑垂体是人体的总司令部，负责处理和传递各种信号。分泌多种激素，如生长激素、促甲头腺、促肾上腺皮质激素、促性腺素、催产素、催乳素、抗利尿激素、黑色细胞刺激素等。这些激素几乎贯穿着人体的代谢、生长、发育和生殖等各种生理过程，人体的大部分生理或疾病状态都与脑垂体有直接或间接的关系。

甲状腺：

　　甲状腺控制人体新陈代谢的速度，影响生命的周期、细胞的衰老与替换，影响人体受损部位修复的速度。甲状腺是人体最大的内分泌腺，主要分泌甲状腺激素和降钙素，对机体的代谢、生长发育、组织分化及多种系统、器官的功能都有重要影响。

胰腺：

　　胰腺是人体原材料制造的重要器官，分泌的各种酶消化生成各种人体所需要的养分。同时分泌胰岛素，是人体细胞能量来源的敲门砖，葡萄糖分子只有在胰岛素的引领下才能进入细胞，被细胞利用产生维持人体所需要的能量。

肾上腺：

　　肾上腺控制人体应急反应，外界的压力作用于肾上腺然后

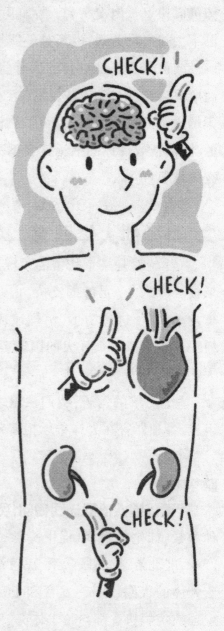

当你将你的孩子带到医院，给他打上退烧针的时候，
你有没有想过到底是在救他还是在害他？

反映到全身。肾上腺髓质制造两种激素,百分之八十是肾上腺素,其余的是去甲肾上腺素(即正肾上腺素)。每当愤怒或恐惧时,肾上腺髓质就分泌大量激素,激素涌入血流,使身体组织做好准备,应付紧张或紧急情况。肾上腺素增加心率,扩张气道,去甲肾上腺素则增强心搏,提高血压。两种激素都使瞳孔扩张,毛发竖立。

松果体:

松果体是睡眠节律调整、休养生息的控制开关。褪黑激素,是人体进入睡眠的信号,使人体进入睡眠状态,人体在睡眠状态进行受损器官的修复工作,因此睡眠对每一种疾病的康复都是非常重要而且是必须经历的过程。

胃:

胃是原料粗加工中心,与人体所需原料生产有关。食物进入胃,胃通过蠕动来磨碎食物,并分泌胃酸及各种酶对食物进行粗加工,分解成人体所需要的养分的前体。

肠:

肠道是将大分子食物转化成小分子养分的场所。与人体所需原材料的细加工有关,同时是养分供应通道,食物残渣排泄通道。

肝脏:

肝脏是体内新陈代谢的中心站。肝脏是人体所需养分的生产基地,所有的营养物质在这里进行生产、废物处理。肝脏在人体承担着重要的作用,首先是人体所需要的养分生产工厂,维持人体生命力的各种养分都在这里产生。同时在生产养分的过程中还将产生许多毒素,在这里也要进行相应的处理才能排出体外,因此它又是一个解毒厂。**肝脏是人体基础养分和废物处理重地,各种疾病的发生、发展都与肝脏有着千丝万缕的关系,因此各种疾病的康复首先也要考虑支持肝脏功能恢复正常。**

胆囊:

胆囊是一个储存器官,协助脂肪消化,是原料备用处理库,具有收缩和贮存胆汁的功能。平时肝脏分泌的胆汁先流入胆囊,通过黏膜吸收水分,使胆汁浓缩,并贮存起来。未浓缩的胆汁呈金黄色,浓缩后的胆汁呈绿色。进食时(特别是脂肪性食物时)胆囊收缩,胆汁经胆囊管、胆总管流入十二指肠内,协助脂肪消化。

肺:

肺是氧气供应中心,提供人体赖以生存的氧气的场所。肺泡之间的间质内含有丰富的毛细血管网,是血液和肺泡内气体进行气体交换的场所。

骨髓:

人体内的血液成分处于一种不断的新陈代谢中,老的细胞被清除,生成新的细胞,骨髓的重要功能就是产生生成各种细胞的干细

发烧是人体免疫系统对侵入人体内的病毒细菌或滞留在人体的毒素发起战争的信号。

胞，这些干细胞通过分化再
生成各种血细胞如红细胞、
白细胞、血小板、淋巴细胞
等。**简单地说，骨髓的作用
就是造血功能，骨髓是携带
养分的血细胞的重要生产
基地，同时是组织器官修复
所需原材料的生产基地**，对
于维持机体的生命和免疫
力非常重要。

心脏：

　　心脏是一个强壮的、不
知疲倦、努力工作的强力
泵。心脏之于身体，如同发
动机之于汽车。**心脏并不参与养分的生产，只负责运输。**心脏不能
正常工作，人体各个器官、细胞的养分供应也将受到影响，从而会
影响人体的健康。当然人体对于养分需求的增加也将影响到心脏
工作的节律，影响到心脏的工作效率。

肾脏：

　　肾是重要的排泄器官。肾的主要功能是排泄废物及维持机体内
环境的稳定。肾脏主要排泄水溶性的废物，代谢产物尿素、尿酸、肌

酸、药物、毒物及它们的代谢产物等也从肾排出。

皮肤：

皮肤覆于人体的表面，形成人体的第一道天然防线，同时也是废物排放通道之一。皮肤除了可以保护机体，抵御外界侵害外，还有感受刺激、吸收、分泌、调节体温、维持水盐代谢、修复及排泄废物等功能。

脊椎：

脊椎是信息传递通道，是人体通信网络重要组成部分。人体各种信号的传递都离不开脊椎及神经系统。具有重要的生理战略意义。

淋巴结：

淋巴结是人体的烽火台、巡警、军队通道。淋巴结是人体战场的前沿，是人体布防的重要器官，当病毒、细菌入侵或自身细胞发生变异时，淋巴结收集信息，处理紧急军情，并负责到脾脏、胸腺、骨髓搬救兵，发起反击战。

脾脏：

脾脏是一个百分百的军火库。脾脏是人体的淋巴组织，其中 T 细胞占 40%，B 细胞占 55%，还有一些 NK 细胞，是人体内产生抗体最多的器官。

珍惜每一次发烧的机会，补充足量的养分和水分，
发烧将成为改善体质的最好机会。

胸腺：

胸腺既是一个重要的淋巴组织，和脾同为人体的中枢免疫器官，又是一个具有内分泌功能的腺体。**胸腺是人体军队训练营，训练各种兵种，有攻击手、清洁工、运输兵、通信兵等，人体受到外源物质入侵或自身细胞功能异常时，胸腺将出动军队，发起消灭和清除敌人的战争。**人体细胞每刻都在衰退与新生，人体每刻都面临着外敌入侵的威胁，只有当免疫系统足够强大，才能及时解除这些威胁，保证人体健康运行。

功能	器官	可能出现的病理反应
原料处理	胃、肠、胰脏	溃疡、炎症、肿胀、纤维化、肿瘤
养分生成	肺、骨髓、肝脏	炎症、纤维化、肿瘤、功能衰竭
养分运送	心脏、血管	肥厚、增生
废物处理	肝脏、肾脏、肠道、皮肤、有孔的器官（耳朵、鼻子、口腔、眼睛）	炎症、纤维化、肿瘤
战斗相关	黏膜、血液、胸腺、脾脏	炎症、功能衰竭
防卫相关	淋巴、皮肤	炎症、肿胀
修复相关	肝脏、骨髓	肿瘤
通信相关	脊椎、腺体	功能紊乱
繁衍后代	男女生殖器	炎症、纤维化、肿瘤

三、你虽有亿万资产却不知如何使用

假如告诉你有亿万家财你会是什么反应？我想大部分的人绝对会跳起来吧。起码不用为吃不起好东西，住不起好房子而发愁了；最起码不用到处向人借钱过日子了。

在大学时代，我最头痛的就是免疫学的课程以及教免疫学的老教授。人的免疫系统的精妙、变化决不亚于中国五行八卦。人的免疫系统可以变化产生出亿万种抗体、免疫细胞，这是一个天文数字，是根本没有办法用脑袋去记的，而老教授又经常要考我们的记忆力，所以对学习免疫学课程感到很头痛。当初学习的时候并没有意识到那些天文数字的威力，但是当我在进行药物研究过程中，越来越被这些病毒的快速变异困扰时，我突然回想起了这些免疫系统的天文数字。"亿万种"不是意味着人体拥有"亿万种"武器吗？而目前发现的对人体有害的微生物也不过是几千万种而已，那怎么可能人的免疫系统无法对付这些病毒呢？应该是绰绰有余才对啊！既然人体本身就有足够的能力去对付这些细菌病毒，我们何苦要挖空心思、耗尽钱财搞药物研发呢？

人体的免疫系统是一座宝藏，之所以出现很多无法根治的疾病，并不是免疫系统无法对付它们，而是我们没有正确使用这些强大的武器。我总算意识到原来我一直盯着病毒而不关注人的自身免疫力，其实是抱着金砖去当乞丐。因此我开始把注意力放在了激发人的免疫力，练习使用这些免疫武器上，而放弃了只盯着病毒不放的做法。终于我发现，任何不能医治、终生服药都是一种无能为力的托辞，**只要给予足够的支持和时间，在恰当的时机下，人体没**

防范于未然固然重要，但是不计后果地执行，可能带来无穷的恶果。

有什么不可能康复的疾病。好多的人，现在还是带着原子弹在战场上跟敌人拼刺刀。一生病就去到处找药吃，从来都不知道原来自己身上有那么强大的武器。好好想想吧，即使是一个亿，也是可以让我们衣食无忧啦，何况是亿万呢？醒悟吧，迷失的人们！

四、神奇的干细胞也要看怎么用

美国《科学》杂志 1999 年和 2000 年连续两次将干细胞生物学和干细胞生物工程评为世界十大科学成就之首，这个领域成为国内外医学和生物学研究的热点。干细胞是一种未充分分化，尚不成熟的细胞，具有再生成各种组织器官和人体的潜在功能。一定条件下，可以再生成各种组织器官，医学界称之为"万用细胞"。人体干细胞分两种类型，一种是全功能干细胞，可直接克隆得到完整人体；另一种是多功能干细胞，可直接分化成各种脏器和用于修复受损组织。

看到这些文字，你感到兴奋吗？我想每一个人都应该感到兴奋，特别是那些百病缠身的人。这些文字意味着什么？意味着人体器官坏掉的话，是可以重新长出来的！换句话说，生病的组织可以被新的健康的组织代替。比如，有人神经受伤，瘫痪了，只要能提供合适的条件，人体内的干细胞就可以生长出新的神经细胞，瘫痪的病人就有机会重新站起来。**所以任何疾病都有可能痊愈，干细胞是人体自愈力的源泉！**

很多书籍都不断地传递一个信息，人体是有自愈力的，也就是自我康复的能力的，但是都没有告诉你为什么。让人觉得非常神秘和不可信,今天我为大家揭开自愈之谜,只希望你对自己的身体更有信心,增加你面对疾病的勇气。

不过**人类经常低估自己身体的智慧,而高估自己的知识**！在发现干细胞后,整个科学界都为之振奋,因为它给我们带来了攻克疾病的曙光。但是,接下来,科学界却做了一件蠢事,投入了大量的人力物力,企图在体外培养干细胞,繁殖培育人工组织和器官,然后梦想通过组织或器官移植,实现临床疾病的治疗。然而,多少年过去了,仅仅做到可以体外培植皮肤而已。有时候,我真的不太明白,为什么我们就那么不相信人体自身呢？明明人体自己都能长出来的东西,为什么非得花那么大劲在体外培养呢？让人体自己长出来不是更加简单吗？难道花那么大精力去做体外培养就是为了证明干细胞真的是可以成为万能细胞的吗？或许真的有一天,科学家可以在体外把所有的组织器官都培养出来,然后再用到临床治疗疾病。那也许是好几十年或是几个世纪之后的事情,而人体细胞的代谢周期远远少于此,为什么不去寻求一种更简便的解决办法呢？这可是一件怪事,不过科学的研究通常会给我们很多意外的收获和启迪,或许它的存在也并非一件坏事。

五、新陈代谢为康复提供了机会

人体是一个结构和功能都严整有序的开放系统。它的严整有序性是靠不断同外界环境进行物质和能量的交换来维持的,一旦物质和能量的交换停止,结构和系统就会解体。人体的这种不断同外界环境进行物质和能量的交换过程,就是新陈代谢。新陈代谢包括

人体存在肾、皮肤、肠道三大排毒器官,除此之外,
凡是有孔的部位都具有一定的排毒功能,如鼻子、耳朵、口腔、子宫等。

治病只是让疾病紧急的状态变得不那么紧急，
真正的健康需要通过身体重新获得足够的正确的营养物质。

同化作用和异化作用。同化作用是形成有机物和贮存能量的过程；
异化作用是分解有机物、释放能量的过程。

病人往右

　　通俗来讲,新陈代谢相当于装修房子。我们都知道,房子装修时先得把旧的东西敲掉,这个相当于异化作用,通过异化作用人体把老弱病残的细胞清除出人体,并把垃圾清除出人体。装修房子还得准备新的材料,把它们组合起来,这相当于人体的同化作用,同化作用将食物中的养分变成人体自身的物质。**人体的新陈代谢机制,为疾病的康复提供了机会,受损的组织细胞可以通过新陈代谢作用重新修复好。**

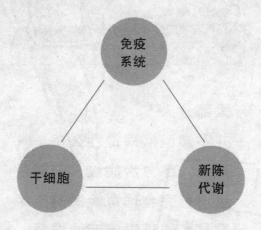

疾病康复铁三角

免疫系统为疾病清除提供了武器,干细胞为疾病自愈提供了源泉,新陈代谢为疾病的康复提供了机会。

咳嗽时建议不乱用药物,并非让你不采取任何措施,支持身体是明智之举。

人生，面临许多选择，向左也许是阴霾的天空，向右也许便是希望的田野！

第二部分
疾病的真相

大部分人
并不知道疾病是什么
甚至大部分治病救人的医生
也没有完全理解疾病的真谛
这是人们恐惧疾病的根源
揭开疾病神秘的面纱
恢复心中的宁静

病人往右

第一章 关于疾病的误区

在人们脑海中,也许只会接受疾病,而不会去作思考。

也许大部分的人根本没有意识到还会有关于疾病的误区。

一、病因说混淆了真正需要关注的问题

西方现代医学认为不同疾病的原因千差万别, 即使同一种疾病,病因也是非常复杂的。例如高血压在病理学的教材中的描述如下:原发性高血压的病因和发病机制尚未完全明了,一般认为高血压并非单一因素引起,而是多种因素综合影响造成的。继发性高血压通常是由其他疾病如糖尿病、肾炎等病诱发的。

西方现代医学喜欢将人体同时表现出来的一些现象互相作为对方的病因。 比如说,慢性肾炎,经常会伴随着高血压一起发生,所以在对于病因的阐述上便会这样写,"高血压并非是由单一因素引起的, 继发性高血压通常是由其他疾病如糖尿病、肾炎等病诱发的"。其实这种逻辑是很奇怪的,一个疾病成了另一个疾病的病因。像踢皮球一样,无法确定病因时,便把它踢到另一种疾病的身上。这种思维的角度, 使得西方现代医学花了大量的精力去发现所谓的不同疾病的病因,去研究对付各种病因的特效药物,无法从根本上去思考问题,不能从根本上解决问题。

西方现代医学将病因多元化,非常不利于发现疾病的本质。这种思维方式,使科学家和医生的注意力都集中在千变万化的外在

身体里面发生的每一件事情都有它特殊的意义,
这些不舒服的症状都是身体给我们的信号,并无恶意。

你的身体从来都不会做伤害你的事情,假如你真的无法读懂她的信号,那么请不要轻易地把这些信号关掉。

因素上。这样的结果是,大多数医生或科学家,花费了大量的时间精力,却从来都没能很好地攻克一个疾病。现代医学自 20 世纪 60 年代,疫苗克服了小儿麻痹症之后,40 多年来,几乎没有听到有哪种疾病又被攻克的消息。虽然表面上医学水平好像在不断地进步,但是

几十年来,越来越多的慢性病,却没有一个再被攻克过。也许是因为抗生素和疫苗在医学史上曾经所展现出来的神奇效果,让大部分人非常执着地认为每一种疾病都有相应的特效药能够治疗。因此研究人员不断地寻找和开发特效药,结果病人开始变得浮躁了,从来都不好好爱惜身体,当疾病发生的时候便躲到医院,寄希望于遇到高明的医生,给他注射神奇的药水,让他能奇迹般地好过来。

二、疾病分类割裂了整体

西方现代医学根据发病的不同部位、不同器官,以及所谓的病因,将疾病分成很多种类。疾病变得越来越多,治疗方法也随之变得越来越多。例如呼吸系统疾病,又分为急性呼吸道感染、慢性阻塞性肺病、支气管哮喘等;心血管系统疾病,又分心力衰竭、心律失常、原发性高血压等;消化系统疾病,又分慢性胃炎、消化性溃疡、

结肠炎、肝炎等;泌尿系统疾病,又分原发性肾小球疾病,继发性肾小球疾病、慢性肾衰竭等;血液系统疾病,又分为缺铁性贫血、再生障碍性贫血等,还有内分泌系统、骨骼系统等疾病。**这种疾病的分类,是其医学思维的体现,他们将注意力集中在一个点上,不习惯系统性地看待一个问题,很多疾病本来是同一个问题的不同表现形式,但是他们却习惯于细分疾病。**比如说涉及炎症的疾病,本来就是炎症的问题,偏偏要分成那么多器官的,还要分急性的,慢性的,细分之后又希望通过找出这些疾病的特效治疗方法,这样的结果是,**疾病越来越多,越治越难治。**

当涉及的因素过多时,许多疾病成了病因不明或尚未完全明了的描述。例如类风湿性关节炎、高血压、糖尿病这些常见的疾病,至今为止,在西方现代医学的角度看都是病因不明的疾病。因此在制定治疗方案是,大部分的注意力只是放在了缓解这些疾病所带来的症状上,无法根治这些疾病。

以前我们所关注的疾病其实只是身体在不同健康状态下表现出来的症状而已。症状的控制并不能解决真正的疾病问题。

人体是一个系统,当一处组织或器官出现疾病时,其他组织和器官必然会受到牵连。系统地看待人体出现的各种问题,我们便可以很快地找到致病的根源,可以让我们的康复思路非常清晰。就像一辆汽车,一个螺丝松了,便可能引起启动不畅、噪音增大、性能下降等种种问题。我们修车时最需要关注的并不是噪音有多响、性能怎么下降了,而是直接找到那个松动的螺丝,把它拧紧,汽车出现的问题也就解决了。

第二章 疾病久治不愈的根源

　　因为大部分的慢性疾病都是身体无法得到足够养分支持的结果。换句话说,大部分慢性疾病久治不愈的原因是养分不足。现代医学将病因多元化,不利于发现疾病的本质。

一、真正的病因

　　我研究了上万份病理报告,涵盖了目前所有的慢性疾病,从普通的呼吸道疾病如慢性鼻炎到一些疑难杂症如系统性红斑狼疮、

类风湿性关节炎、肿瘤等。研究完这些病理报告后,我得到两个信息:第一,所有的慢性病都有炎症反应;第二,所有的慢性病都有组织纤维化的现象。

这两个信息意味着什么?我想这是我们值得好好思考的。

重新认识炎症

科学界对炎症具有非常多不同的论证,但有一点是一致的,那就是炎症的发生需要免疫系统的介入。大部分病人和医生对炎症都没有什么好感,将炎症视为病情恶化的表现。所以一遇到炎症,便消炎药、消炎针双双出击,恨不得立即消炎退烧,把不舒服的症状去掉。但是,我希望从现在起,我们可以换个角度来看待炎症。**它是人体免疫系统工作的表现,是一种正常的生理反应,是人体的一种防御手段**。在外源物质(如病毒、细菌、大分子蛋白等)进入人体时,人体免疫系统的各种细胞如T细胞、B细胞、淋巴细胞等便会发动战争,消灭这些入侵者。当然战争的代价之一便是留下一片狼藉的战场,打扫战场时便出现了大量的炎症细胞,以帮助清除和吞噬细菌、病毒或受损细胞的残骸,并通过呼吸道、消化道、尿道等黏膜细胞将这些垃圾清除到体外。

假如垃圾不能及时清除或者这个清理过程被中断的话,会发生什么事情呢?举个例子,家里大扫除,清理了很多垃圾出来。但是,如果不能把垃圾倒掉,是不是要找个地方来放这些垃圾?比如找个垃圾桶之类的东西,假如垃圾一直不能扔的话,必须在房子里预留空间来放这些垃圾。好了,**人体的炎症过程被中断的话,就等于不**

病人和医生都必须分清各自在疾病康复中的责任,才能真正减少矛盾冲突,才能产生良性的医患关系。

让身体倒垃圾，人体必须预留一定的空间来放置这些垃圾，这便是息肉、囊肿、肿瘤的来源之一。所以，各位还是慎用各种消炎的药物，因为那个行为可能会让你身体的垃圾无法排放。

我们还很清楚地记得，在几十年前，很少听到肿瘤这类的疾病，顶多也就是慢性胃炎、慢性咽炎之类的，到现在好像慢性胃炎、慢性咽炎等炎症疾病可以用消炎药、抗生素控制了，渐渐地就开始听到胃癌、肺癌了，难道是巧合吗？这个问题值得我们好好想想。大部分病人，在毫不犹豫地下决心，苦苦哀求医生，却干了许多伤害自己身体的事，还乐呵呵地感谢他们。不管以前怎样，希望看到本书的人，能记住不要动不动就消炎，你需要做的并不是单纯消炎那么简单，而是搞清楚到底身体发生了什么事情，然后再采取正确的措施！

上面谈到炎症的发生是免疫系统清除外来物质的防御反应，是人体免疫系统工作的表现，是一种正常的生理反应，是人体的一种防御手段。**这同时意味着另一件事情，就是炎症部位有细胞死亡，组织受损，细菌病毒等有害物质只攻击功能障碍的细胞和组织，就像老弱病残的羊，特别容易受到狼的攻击一样，老弱病残的细胞和组织也是细菌、病毒等有害物质容易攻击的对象。**

细胞是否能正常行使其功能，取决于细胞内的基因表达是否能够与细胞所处的环境相适应，假如基因表达无法与细胞所处的环境相适应，则细胞表现出功能障碍。一个不能正常执行功能的细胞会被肌体以垃圾形式清除或被细菌病毒等外源物质攻击，表现在组织水平便是炎症聚集的部位。

纤维化的启示

纤维化这个字眼可能对大部分人来说是比较陌生的。它是比较专业的医学术语，但是大家只要回忆一下枯死的老树，便可很容易理解纤维化代表的意义。枯死的老树，通常都是干干瘪瘪的，没有一点水分，树皮也脱落了，只剩下光溜溜的树干，灰黑灰黑的。用手掰开里面的话，可以看到里面松松的，一丝一丝的东西，那就是纤维。一棵枯死的树便是一棵纤维化的树，失去了生命，只保留了树的形态。树的枯死可以有很多原因，但归结起来都离不开养分的不足。当一棵树长时间得不到足够的养分时，便会开始慢慢地纤维化，慢慢地枯死。**人的组织器官也是一样的，当得不到足够的养分支持时，也会像树木一样开始慢慢地纤维化，最后功能衰退。**

我们来看看大部分的病理报告是怎么描述纤维化过程的。"免疫细胞浸润……血管充血……组织肿胀……炎症……细胞脱落……组织萎缩……组织纤维化……"在你看来不知这些字眼意味着什么，但是这却是身体受到外源物质(病毒细菌等)攻击，免疫系统发动战争清除外来物质的信号(免疫细胞浸润、血管充血、组织肿胀、炎症)，但是身体却长期得不到支援，开始败退(细胞脱落、组织萎缩)，还是得不到支援，终于弹尽粮绝(组织纤维化)的过程。这是多么悲壮的一场战争！不知大家有没有看过电视剧《亮剑》，如果看过的话，肯定会记得反扫荡时骑兵连全军覆没的悲壮场景，最后一个战士，一个失去双臂的战士，依然发起冲锋直到牺牲。你一定会感到惋惜，不过你却不知道你的身体也随时面临全军覆没的威胁。假如你还能够保持清醒，那么请给身体支持吧。**因为大部分的**

这个世上不会有任何神医可以给予你健康，健康需要你自己去获得。

人们把希望寄托在别人身上,是因为从来都没有真正地了解过自己的身体。很多人对自己的身体似乎一无所知。

任何药物长期或大量使用时,必将给身体带来比疾病本身更大的伤害。

慢性疾病都是身体无法得到足够养分支持的结果。换句话说,大部分慢性疾病久治不愈的原因是养分不足。

很多人也许会觉得不可思议,搞了半天原来是因为这个。很多人也许想不通,如果真是养分不足作怪的话,为什么有些人得糖尿病,有些人得高血压,有些人却得胃炎?为什么会出现那么多种不同的疾病?这是由每个人的基因决定的。每个人生来就具有不同的优势和不足以及不同水平的修复能力,不同的人都拥有各自的优质基因和劣质基因,比如有些人经常呼吸道感染,却肝脏很好;有些人容易得脂肪肝,却不容易过敏等等。这便是我们所谓的遗传差异,这些差异都是由基因决定的,**因此基因是决定你在哪个部位生病,但各种慢性疾病久治不愈的根源之一却都是养分不足。**很多的疾病变得无法根治或需要终生用药,是因为我们在将问题复杂化时没能抓住问题的关键所在,抓住关键问题是我们解决问题最有效的办法。大部分人至今仍然在兜兜转转中到处寻觅各种疾病的原因,却忘了停下来思考一下。其实所谓的病因就在眼前,人体是由各种营养物质通过各种方式组合在一起的,人体系统出了问题,首先应该考虑材料是否出了问题。

二、对医疗过分依赖

生了病便到医院看病,这在人们心目中是天经地义的事,然而正是这种我们习以为常的行为,为疾病久治不愈埋下种子。大多数人对医疗没有一个正确的认识。当疾病降临时,所会做的只能到医院找个受过专业训练的医生来帮助自己解决问题。这种一直流传的方式,让人们忘记了思考一个问题,医生是否可以帮你解决所有问题?我们好像从来没有去思考到底医生可以为你做些什么,而你又该为自己做些什么?

在西方现代医学的知识体系中,对付疾病有以下几种策略,这些策略多少年来没有得到很大突破,医学技术的进步,基本上也没有跳出这些框框。

1. 抑制症状

对于人体呈现出来的痰、咳、小儿麻疹、水痘、青春痘、香港脚、癣、皮肤病、斑、呕吐、腹泻、痔疮流血、狐臭、脚臭、发烧、汗、尿、眼屎等,都是人体向体外排除毒素的过程,当人体积累过多的毒素无法排出体外时便有可能生成肿瘤、囊肿、息肉等,因此,体内的毒素不排除,人体不可能健康。但是西方现代医学体系,为了消除排泄过程中的种种痛苦,便采用药物来抑制这样的过程,这种抑

你不必成为一个专家,但你必须了解你的身体,这是康复的开始。

制的方式,可以让人体不必承受种种排泄的痛苦,所以深受现代人的称赞与肯定,病人也非常乐意医生帮助自己消除症状。但是,如果不分病情的轻重缓急,一味地使用这种抑制症状的策略,则有点像满屋都是毒素,却从来都不打扫,结果弄得无法住人。

医学本不应该发展成今天这种样子,西方医学之父西波克拉底曾经强调过:"痰、咳、汗、尿、便和排脓等都是人体为了寻求迈向调和的自然现象"、"绝不可因这些分泌物的排出感到万分痛苦而横加阻止,否则人体将永远无法调和而使疾病缠绵不愈"。又说:"无端投以药物,企图抑制这些症状的做法完全属于邪道。"西方现代医学的发展好像在背离前人的智慧,越走越远。当然这种偏离本不该由医生来承担这种责任。人类文明在经历了黑暗的中世纪之后,医学史上,很大一部分顶尖的科学家都将自己的毕生精力贡献在攻克传染病的事业上,而很多传染病的发生,通常也伴随了各种不良症状,所以消灭症状好像成了当时科学界的共同目标,直到今天,这种事业还在继续着。

2.借兵打仗

人体细胞因各种因素无法生存以致急剧衰老或死亡时,人体特别容易遭受外源病毒、细菌的攻击,引起感冒或其他病变。当感冒发生时,西方现代医学一般采用抗生素直接代替人体免疫系统来消灭细菌,这种方式叫借兵或外援。其他疾病如糖尿病就直接使用降糖药或胰岛素来代替胰脏分泌胰岛素,尿毒症就直接透析来代替肾脏消除血液中的毒素。这些方式,都可以起到立竿见影的效果,烧马上可以退,血糖马上可以降下来,病人的痛苦马上可以得到缓解,因此这种借兵打仗的策略也深受现代人的喜爱,乐此不疲。但是对疾病的这种处理策略将引发人体机能的逐渐退化。例如感冒时就用抗生素来代替免疫系统消灭病毒,将使人体免疫力、自愈力越来越低下,抗生素的用量必须逐次增加,最后人体的免疫力和自愈力变得非常薄弱的时候,再多量的抗生素也没办法治好感冒,造成很多人一个简单的感冒都要花几个月才能好。

这种借兵打仗的方式,就像小孩子不会写字,你不教他写,而是直接帮他写,这样即使小孩再怎么天资聪明,到大学也未必能学会写字。现代人在不断急功近利的追求中,也终于习惯于借兵打仗,而逐渐失去了与生俱来的自愈本领。

3. 掩耳盗铃

掩耳盗铃是个贬义词,本不应该放在这里来描述现代医学。但我确实很难再找到有另外一个词可以表达这种意思。所以姑且用上,并没有要攻击西方现代医学的意思,只是为了探讨一些纯粹的医学问题。

遇到疼痛的病人,通常医院会开出止痛药,遇到失眠的病人,会开出安眠药,遇到抑郁的病人会开出抗抑郁药等等。这些方式,基本上属于掩耳盗铃的做法。

大部分止痛药的作用是将疼痛的部位与大脑相连的神经麻醉或阻断疼痛信号的传递,使大脑失去人体疼痛的信号。其实疼痛不是病,而是人体有了病变时向大脑发出的求援信号。止痛就是消除

人体任何器官都具有其特定的意义,没有哪个更重要,缺一不可。

信号，欺骗大脑的一种做法，使大脑得不到身体病变的信息，而不
再有痛感，使人体产生错觉，以为疾病痊愈了，其实病痛依然存在
甚至更严重。

就像防空警报，有外敌入侵，城市上空响起防空警报，那么军
队、群众就知道如何应对战争的到来，有机会赢得战争的胜利，减
少伤亡。但是如果觉得警报的声音太刺耳，让人感到不舒服，所以
不管敌人是否进攻，把警报关掉，这样的后果将不堪设想。

4. 舍车保帅

舍车保帅是象棋中常用到的一种策略，当然是在一种危急的
状态下，宁愿舍弃相对不那么重要的"车"，也要保住相对重要一
点的"帅"。对应到现代医疗当中，当病人情况比较危急时或可能
出现一些危急的状态时，通常会采用切除患病部位的做法来保全
性命，但是这种方法绝对是无法使人体健康的。例如，肿瘤切除
后，可能引发其他器官的癌变；肾结石开刀后仍然会再结石；淋巴
发炎时把淋巴切除，但淋巴是人体防卫系统的一部分，切除后当
然没有淋巴发炎了，皮之不存，毛将焉付？但是，人体的免疫防线
被撤除，必然导致更多疾病的发生。很多人，以为把患病部位切完
之后就万事大吉了，其实他们根本就没有意识到，这个动作的危
险性。舍车保帅，最终结果也必然是自己砍断左膀右臂，然后将自
己拱手送给敌人，自取灭亡。舍车是保不住帅的，手术切割可以作
为危机时候的救命方式，但不能作为一种依赖，当做最终解决问
题的手段。

5. 偷梁换柱

　　器官实在不能用了就换一个,这可以说是西方现代医学的终极手段了,也是人们最终摆脱疾病的一种理想寄托。从人造器官开始到器官移植,再到组织培养。人造器官的不方便,器官移植的成功

康复反应的出现,需要你的智慧来判断病情是否在恶化。

率低,但是无论如何艰难,科研和医疗工作者都在朝着换的梦想去奋斗。自从发现干细胞,这股风潮更加强盛。大量的金钱和人力投入到干细胞培养的研究中。希望有一天可以在体外培养出心脏或者其他器官,这样就不怕疾病的发生了,只要器官坏了就可以随时换掉。这当然是一个非常美好的梦想。

但是有一点我们必须意识到,既然人体自身存在干细胞,而且也具有生成各种组织器官的潜力,为什么我们非得要在体外花那么大的精力,来搞一个非原装的器官呢?直接支持身体生成新的器官不是很简单吗?

为什么对人体那么不自信呢?难道人类的智慧会比大自然的智慧更优秀?

就像我们买手机,都知道原装的电池要比组装的电池质量要好,我们又何苦花那么大的精力去搞非原装的呢?即使搞出来,能不能用还不知道呢。何不支持身体自己搞原装呢?这样简单很多啊。

医疗的水平在不断地发展,但是,依然无法突破上面六种框框的束缚。当然,医疗的策略对于疾病控制具有一定的效果。但是当病情在医院被医生采用这些策略控制后,大部分病人以为可以出院了或者可以停药了便是康复了,回到家后,继续以前的那些不良习惯,该抽烟地继续抽烟、该喝酒的继续喝酒、该吃垃圾食品的继续持垃圾食品、该熬夜的继续熬夜等等,总之,好像真的重获了健康一样。其实,我们前面也提到,病情的控制和恢复健康是两回事。当我们以为病情控制了,而没有意识到还没有真正得到健康时,我们便继续残害自己的身体，身体得不到足够的养分和时间来修复受损部位，因此日积月累，便在人体不断出现各种各样的瘢痕和纤维化组织。在病情控制的情况下，放松警惕，这也是很多人疾病突然复发或突然恶化的原因之一。很多人没有意识到这一点，所以把全部希望和责任都寄托在医院和医生身上，这种做法，对医院和医生也是不公平的，医院和医生每一个都会尽心尽力地去帮助患者，但是有很多疾病，并非医院和医生愿意尽力患者就能得到康复的。这种情况下，有些患者可能便会对医院或医生有所抱怨，社会上也越来越多的声音来责问这个行业。医生是救死扶伤的职业，所谓救死扶伤，就是在人的身体出现紧急情况时介入，使得情况变得不那么紧急，令身体具有康复的时机，并不是将一个病人由疾病状态治疗到健康状态。不能勉强别人做他不可能办到的事情，就像你不能让一个兽医帮人看病一样，你也不能强求医生把健康给你。你要做的是，在紧急情况下求助医生，然后把恢复身体当成是自己的责任，而不是医生的责任。

各种表现的疾病，都与肝脏有着千丝万缕的关系，
支持肝脏的修复是各种疾病康复的首要考虑。

第三部分
基因营养学

你不需要更多的知识,你只需要换个角度看问题

　　许多人对基因究竟是什么以及它们如何工作摸不着头脑。在大家心目中基因意味着天生无可改变的事实,任何疾病如果与基因联系上, 那么基本上人们的态度便是认命。例如某些遗传病的发生,到目前为止,科学界对于遗传病的发生一筹莫展,"家族遗传"就像被诅咒的帽子扣在不幸人的身上。然而,事实是否如此?基因到底与健康如何发生关系?我们是否可以摆脱遗传带来的宿命?

病人往右

第一章 健康与疾病的本质

前面谈到,西方现代医学认为疾病有很多种类,而且每种疾病都有不同的起因和治疗方法。这种认识造成我们的医学体系非常庞大和繁杂,使得医生们只能靠套用条条框框来医治疾病。而且医疗中所采用的五种治疗的策略基本上是治标不治本的策略,因此许多的疾病演变成慢性病。在本章中我们将来探讨健康与疾病的本质。

一、为什么要探求健康与疾病的本质

西方现代医学在疾病分类和病因探索以及特效药物研发的海洋中淹没,迷失,找不到解决问题的方向。很显然,我们暂时还没有办法去揭开每一种致病的微生物致病的原因, 我们也没有办法将现在所有的疾病的致病机制弄清楚, 我们更不能等到所有的药物都发明了才来关注我们日益衰退的健康。而我们却如此希望拥有一个健康的体魄,充沛的精力,过人的才能,那么我们现在能做些什么?是关注外界繁杂的致病因素还是关注我们身体的本身?这虽然是一个再简单不过的选择题,然而却会有两个完全不同的结果。

在过去的几十年以前,我们的医学毫不犹豫地选择了关注外界繁杂的致病因素, 然而, 今天, 在医学水平发达的外表下,虽然SARS引起的"非典"恐慌过去了,禽流感也控制了,但是糖尿病、高血压、肿瘤还有其他形形色色的慢性病依然困扰着我们的科学家,困扰着我们的医生,也困扰着那些不幸染病的病人和家属。

血液流通是生命的象征,血液为身体营造了一个生命赖于生存的环境。

　　医学好像走进了一个绕不出的迷宫中，既然如此，那么我们是否应该考虑重新做个选择，重新思考一下我们应该关注的问题？

　　当然，我们需要做些思考和选择。那么我们应该思考什么？过去的几十年中，我们都是停留在发现和描述疾病的表象或症状上，我们很多人因为发现一个与疾病可能有关的信息而兴奋不已。而这样的结果是，我们发现了许多与疾病有关的现象，却忽略了对疾病本质的思考。虽然也有人曾经思考过，但最终又掉进了现象的陷阱。

　　今天我们探讨疾病的本质,为了能找到新的疾病模式进而得到真正的攻克疾病的武器,让人们能够保持健康。

二、生命的共性

　　在哲学上,探讨本质必须寻找事物的共同特性,在事物的共性中来归纳事物的本质。

　　生命的共性是什么?**生命是基因表达的结果,这便是生命的共性**。这是在生命科学领域众所周知的事实,也是几十年以前已经被科学界所认同的东西。那么今天我重新拿来描述,并不是希望你也来认同这个事实,而是希望你能通过我的描述来看到有意义的信息。

　　基因在一定的条件下表达,构成了生命的旋律。生命科学家们普遍认为基因是生命的蓝图或"计划",它们告知我们的身体如何从一个受精卵发育成一个人。这句话是对的,描述了一个基本事实。然而,在所有的人类基因中,只有大约1/4的基因是自动表达的,例如,决定我们的头发是否为黑色或者我们的头发是否卷曲的。我们可以将其他许多基因想象成为一套编好的指令集,它们就像电脑程序一样。**大多数的基因都是在特定的条件下才进行表达的,人的生理现象(包括健康与疾病)是基因在特定环境下表达的产物**。这句话有些拗口,说明一下就容易理解了,在大学的时候我学过这样的一个例子,很有趣,这里套用一下。喜马拉雅山上有一种兔子,它们负责控制毛的颜色表达的基因是受温度控制的。这些兔子在寒冷的环境下通常有黑色的耳朵、前爪、鼻子和尾巴,但是,

免疫系统的完好,在生理上身体便占有战胜疾病的优势。

当它们在温暖的环境下长大时,它们便没有任何黑色的标记。我们
发现,同样的兔子,同样的基因,但是处于不同的环境,它们虽然有
相同的基因却有着不同的表达。尽管人类不是喜马拉雅山上的兔
子,但基因表达的规律是相通的。

三、健康和疾病是什么

健康或疾病都是人的生理现象, 都是环境和基因互动的结果。
**健康和疾病在本质上是一样的, 是基因在一定环境下表达出来的
一种生理状态。**健康和疾病,在我们过去的意识和教育中都是对立
的,但是我希望各位读者,从现在开始便要清楚地意识到(非常郑
重地声明),**它们的性质是一致的,都是身体的一种生理状态。**

过去的岁月中,我们一直都没有弄清楚这一点,所以一遇到头
痛、发烧、腹泻、转氨酶升高、血小板下降、白细胞增加,诸如此类的
问题便大乱方寸,心情不好,总之好像天要塌下来似地紧张、忧虑、
烦恼,所以迫不及待地去医院,求医生,要退烧、求止痛,总之好像
把这些麻烦的东西弄掉就好像是健康了一样,其实这是自欺欺人,
通常越捣弄,事情变得越糟糕,常常是血压降下去了,肾功能却衰
竭了、心脏衰竭、头晕、食欲退减、精神不好。这就是以前我们经常
干的事情。但是从现在开始,你必须要记住别再干这种无聊的事,
同时也把那种对疾病的恐惧给丢弃。

第二章 新的疾病模式

在了解健康与疾病的本质之后,我们便可以揭示新的疾病模式。

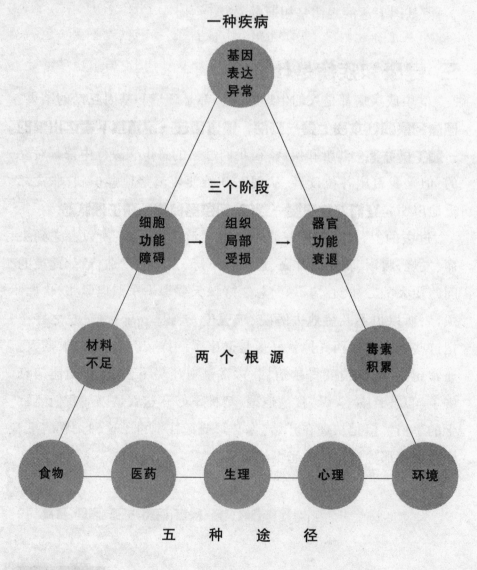

一种疾病

基因
表达
异常

三个阶段

细胞功能障碍 → 组织局部受损 → 器官功能衰退

材料不足　　　两 个 根 源　　　毒素积累

食物　医药　生理　心理　环境

五 种 途 径

干细胞的神奇在于它能够在一定的条件下重新发育成任何组织器官,
这为人体的自我修复提供了可能。

干细胞的发现到目前为止并没有给医学界带来突破性的进步，原因可能在于我们弄错了研究的方向。

人体只有一种疾病：基因异常表达

当基因表达异常时，人的身体便不能继续维持原有的健康平衡来调节和修复自己。我们暂且放弃观念中任何关于疾病的命名，无论是高血压也好，糖尿病也好，肿瘤也好，我们也先不要去追究身体不适症状的来龙去脉，基因异常表达是任何形式疾病的根源。我们现在知道只有一种疾病，所以我们得到健康的方法相对来说就简单多了，只需要预防基因的异常表达便可以了。

疾病有三个阶段：细胞功能障碍、组织局部受损、器官功能衰退

我们现有的关于疾病的一些概念或名词其实是疾病在不同阶段的表现，而我们却以为那些就是疾病，害怕那些被扣在身上的一些疾病的名称。例如地中海贫血是血红细胞功能障碍，溃疡和炎症是组织局部受损，糖尿病、肾炎是胰腺、肾脏功能衰退。

疾病久治不愈只有两个根源：材料不足、毒素积累

要维持良好的健康，我们所需要做的是保证提供基因表达所需要的良好条件。疾病久治不愈只是因为出现了如下三种情况：材料不足、毒素积累或者两者同时发生。通过很好地选择我们的生活方式，便有可能杜绝这两种根源。健康依赖于我们自己的各种选择。这些选择可以归纳为五种途径。

健康与疾病之间，存在着五种途径：食物、医药、生理、心理、环境

人体的奇妙在于强大的自我调整能力，如果我们提供身体所需要的东西，虽然我们不懂到底是怎么做到的，但是身体确实知道怎样去调整在最佳状态。就像现在科学界都还没有弄清楚到底氧气是怎么通过肺泡进入人的体内一样，我们每时每刻都在享受着氧气给我们带来的生命。虽然，到目前为止，我们对身体的了解还是冰山一角，但是，我们无须确切地知道身体到底在干什么，我们需要关注的是，身体需要什么，这便是获得健康的关键。我们通过对新的疾病模式的详细阐述来了解最终我们应该如何来获得健康。

一、了解基因：基因是健康天平的支点

让我们来看看，我们的基因是如何与环境互动的。在这之前，我们先要做个说明，这里所说的环境，并不是单纯的温度、气候或我们居住的环境，还包括人体内部环境、细胞内部环境等。关于环境问题我们在下文还会有详细的说明，这里我们记住环境有好的环境和坏的环境便可。

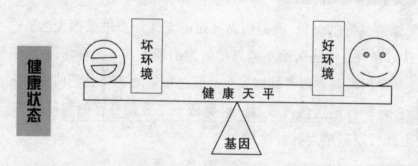

基因是健康天平的支点，当好的环境与坏的环境的力量相当时，人体便处于健康状态。

新陈代谢的机制——就像旧房子可以重新装修变成新房子——使受损组织有机会进行修复，为疾病的康复提供了可能。

对于疾病,特别是慢性病,不存在任何特效药。药物只能在一定程度上起到支持身体的作用,但不是人们恢复健康的救命稻草。

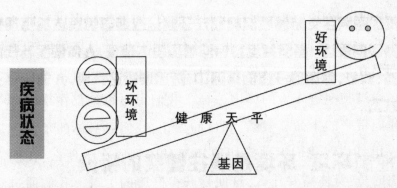

基因是健康天平的支点,当坏的环境力量大于好的环境时,人体便处于疾病状态。

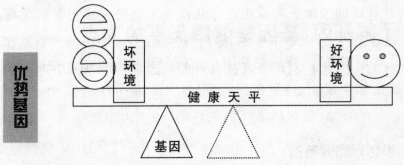

所谓优势基因就是,当好的环境力量小于坏的环境时,仍能够使人体处于健康状态的基因。

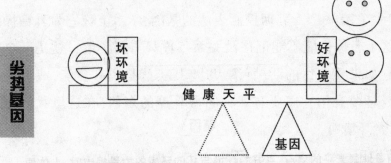

所谓劣势基因就是,当好的环境力量大于坏的环境时,才能够使人体处于健康状态的基因。

基因营养学支持健康的奥秘在于通过改变基因表达的环境来控制基因的表达。营造并维持好的基因表达环境，人体便保持在健康状态；同样，基因处于坏的环境中，基因便表达异常，人体便处于疾病状态。

二、控制环境：环境是通往健康的桥梁

基因是人通过遗传获得的，在目前的科技水平来看是不容易修改的，所以在人的一生中，决定活得健康与否的关键在于你的基因是否在合适的条件下表达正常，从而使人能够完成正常的生理活动。相对来说，基因是不变的，但是，环境和基因表达的产物是在不断变化的。因此我们可以通过有目的地改变环境来调节基因的表达，由此而获得健康。

基因表达是可调节的

基因表达受各种因素调节是一个基本的生物学常识。举个经典例子来解释基因表达是如何被调节的。有一种细菌叫做大肠杆菌（E.coli），它有一个受乳糖控制表达的基因，学术上称它为乳糖操纵子（这个名称你能不能记住没关系，你只需要了解，这是一个基因），它如果要表达的话（所谓表达，其实就是说有功能，或者说它对大肠杆菌有用），需要有一种叫做乳糖的东西（在这里我们把乳糖称为"环境"）。

我们用一个图来表示一下简单的基因表达过程：

任何药物长期或大量使用时，都会给身体带来比疾病本身更大的伤害。

多病因学说导致科研的注意力分散在千变万化的外在因素中。寻找特效药成了研究的重点，这种科研思维使得西方现代医学在变幻无常的海洋中迷失，找不到解决问题的方向。

(a)

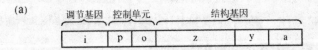

(b)

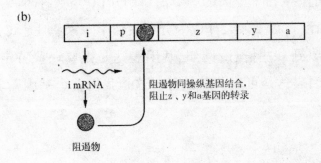

(c)

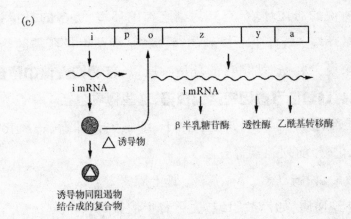

乳糖操纵子模型

(a)乳糖操纵子及其调节基因模型；(b)阻遏状态——lacI基因合成出阻遏物，它的四聚体分子同操纵基因结合，阻断了结构基因的转录活性；(c)诱导状态——加入的诱导物使阻遏物转变成失活的状态，不能同操纵基因结合，于是启动基因开始转录，合成出三种不同的酶，即β半乳糖苷酶、透性酶和乙酰基转移酶[本图没有按比例绘制。事实上启动子(p)和操纵基因(o)要比其他基因小得多]。

　　我们可以看到,在基因上有个"开关",只有当这个细菌体内有乳糖时,这个开关被开启,基因才能顺利表达,而如果没有乳糖,"开关"则无法启动,基因也就无法表达。

　　这是分子生物学里面的一个简单的知识,当然你不一定要去记住它,我们没有必要人人都成为分子生物学专家。但是我希望你可以从中接收到一些信息,例如,基因表达是需要一些特定条件(环境)的,基因表达是可以调节的等。这是我们整个基因营养学成立的基石。

环境是什么

　　环境是什么?当然,在基因营养学中所指的环境,并非单纯指我们平时所说的居住环境、空气污染之类的环境,更多的是指我们人体内的微环境。就像上面提到的"乳糖"是细菌生长所需的物质,对于细菌来说,"乳糖"就是它的环境。所以,**在我们人体中存在着各种物质,共同营造了基因表达的环境**,这些物质包括:

　　1. 局部化学介质,例如生长因子、细胞生长抑素、一氧化碳、氧气、二氧化碳、前列腺素等;

　　2. 激素,如胰岛素、甲状腺素、肾上腺素等;

　　3. 神经递质,如乙酰胆碱、去甲肾上腺素等;

　　4. 无机离子,如钙离子、钾离子等;

　　5. 脂类和糖类的衍生物,如三磷酸肌醇、二脂酰甘油、N-脂酰鞘氨醇等;

　　6. 蛋白质、氨基酸,如酶、色氨酸等;

西方现代医学病因多元化的思维让人们无法认识疾病的本质,只是看到一些身体生理状态发生变化时呈现出来的表象。

7. 核苷酸,如 cAMP、cGMP 等;

8. 维生素,如维生素 C、维生素 E 等;

9. 代谢产物,如尿酸、乳酸等;

10. 有毒物质、食物残渣等。

上面列举的是常见的体内物质,这些物质共同营造了人体的细胞内环境、血液循环环境、激素水平、体液酸碱度、肠内环境等等,而这些在组织或器官水平的环境,便是影响基因是否能够正常表达的环境。这些物质在最佳的浓度时,体内便呈现出好环境,当这些物质不在最佳浓度时,体内便呈现坏的环境。可以说环境控制基因的表达,而基因表达的产物又反过来作用于环境。这是一个互相作用,互动的过程。因此要保持健康状态,必须营造好体内的环境。

如何营造好的基因表达环境

人体内的环境是由体内各种物质共同营造的,所以,营造好的环境其实是通过调节进入人体内各种物质的种类和浓度来完成的。这部分内容也是细胞信号传导研究中的热门内容,只是细胞信号传导的研究基本上是基础研究,很少科学家将注意力放在运用这些成果上,而恰好这是基因营养学关注的领域。在下文中我们将详细讨论各种途径如食物、医药、生理、心理、环境以及达到健康的各种策略和方向。

三、一种疾病

如果一定要说人体存在疾病这种东西的话，那么把这顶帽子扣在基因异常表达上面还是可以的。人体内的基因每时每刻都在表达，随着人的思考、吃饭、睡觉、呼吸等动作在默默地进行着表达，调适着人体到适合当前环境的状态。我们这里所说的环境，当然不是单纯指我们的居住环境，同时还包括人体内部的生理环境，例如体液的酸碱度、生理激素的水平、细胞内环境、肠道环境等，这些环境构成了基因表达的环境。这些环境有些是利于基因正常表达的环境，我们称之为好的环境，也有些是不利于基因正常表达的环境，我们便称之为坏的环境。人的环境随时都会发生变化，但是人体容易形成一些固定的环境，例如一些人喜欢吃些油腻的东西，那么他的血管内便容易脂肪堆积，脂肪堆积的结果便是影响血液的环境，这种环境的改变将影响血流的正常流动，因此人体的基因便会根据这种环境表达出高血压的状态。因此我们要关注的重点并不是高血压本身，而是引起高血压发生的这个环境因素，通过改善基因表达的环境，高血压自然可以得到缓解。**在疾病的调整过程中，基因的优劣是我们无法改变的，但基因表达的环境是我们可以通过在疾病和健康的五个途径做正确的选择来改变的。**

四、疾病的三个阶段

疾病并不是一成不变的，而是不断发展的。当不利的环境持续存在时，疾病便开始发展，延伸，恶化。

今天之所以会出现越来越多的疾病名称，
与西方现代医学的分类方法有很大的关系。

西方现代医学不太习惯以系统的角度来研究各种疾病的本质。从医疗方式的更新速度来看,西方现代医学一直在被同一疾病困扰,而没有找到任何的真正解决问题的办法。

细胞功能障碍

　　疾病在萌芽状态首先表现在个别细胞的功能障碍。人体的每一个细胞必须完成特定的功能才能够与身体的细胞有效地合作。当每一个细胞的功能都处于正常状态的话,那么这些功能才能很好地执行,身体才能够在最佳状态下运作。假如你身体中的每一个细胞都是健康的,那么你就不会生病。但是,假如你的身体处于不利的环境中,基因异常表达,一个细胞的运作开始出现了故障,它就不会以最佳状态去完成它的任务,这样问题便开始了。

　　个别细胞出现故障时,我们通常会有不适的感觉,例如精力下降、头晕、头痛等,但是此时去做健康检查,也许不能检查出任何问题,这是由我们目前所采用的检验技术和不当的检验标准所决定的。当这种故障出现在一个较大的范围,疾病便发展到组织受损的阶段。

组织局部受损

　　当不利的环境一直得不到改善时,功能出现障碍的细胞数量越来越多,范围越来越大,这时便会出现组织水平的病变。这种阶段身体的免疫系统已经开始清除这些积累的异常细胞,同时有害的病毒细菌此时也开始攻击这些功能障碍的细胞,乘机对人体发起进攻。此时人体经常发生炎症、溃疡、红肿、过敏等不良反应。病情发展到这个阶段,生理指标会发生异常,基本上此时去医院检查医生便会给告诉你得了什么病,例如胃炎、结肠炎、妇科炎症等。这个阶段人体与疾病状态是处于僵持阶段、拉锯战的胶着状态。通常人体的自我调节系统会在这时建立一个新的平衡，延缓病情的进一步恶化。这个阶段的身体处于可检测的疾病状态，也是现代医学研究最多，想尽办法想要对付的疾病就是处于这个阶段，如慢性胃炎、高血压、肝炎、慢性肾炎等。本书在后面的篇章还会就这一阶段的疾病调养方法做详细的论述。

器官功能衰退

如果不利的环境在组织病变发生时仍然没有得到改善的话，那么身体将步入溃败的阶段，这个阶段，病灶所在的器官将发生功能衰退。器官衰退的最终结果便是死亡。人体是一个完整的系统，任何一个器官出现功能衰竭都会影响到生命的存在。我们在前面已经对每个器官的功能做了大概的描述。疾病发展到这个阶段，如果需要逆转到健康状态的话，必须付出很大的代价。

医疗检验标准蒙蔽了我们的双眼

在疾病发展的三个阶段中，细胞功能障碍是处于萌芽状态的阶段，这个阶段是疾病最容易逆转的阶段，只要稍微改变不利的环境，基因便可重新正常表达，恢复到健康状态。组织局部受损的阶段是个转折点，是我们必须要好好把握的时机，但是这个阶段又往往是人们产生误解最多、处理方法出现问题最多的一个阶段，大部分人并没有办法好好地把握这个时机，使得疾病不知不觉发展到器官功能衰退的阶段，从而使人的健康处于崩溃状态。

在疾病的发展过程中，医疗的检验标准起到一个方向性的作

慢性病在病理上表现出炎症和纤维化现象。

用。大部分人习惯于用各种医疗的检验标准来衡量身体是否处于健康状态,最要命的是,大部分人普遍认为指标正常就是健康的。但事实上,情况不像人们想的那么简单。因为没能真正读懂医疗检测指标,很多人把恢复指标的正常作为恢复健康的首要任务,这种做法是非常不可取的。我们知道医疗上的指标只是反映人体所具有的生理状态,这些状态是用来传递身体信息的,而不是疾病本身。

大部分人在检查不出指标异常时便掉以轻心,根本不管身体是否有何不适,只要指标正常就认为健康。当检查出指标异常时,便想尽办法把指标变成正常,然后再掉以轻心,仍然不管身体是否有其他不适,直到有一天,突然病重倒下。这就是医疗检验指标蒙蔽了我们的双眼,令我们对疾病的发展不知不觉,最后变得毫无知觉。

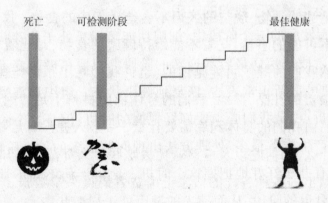

61 病人往右

五、疾病久治不愈的两个根源

　　疾病之所以会成为慢性病的原因,主要是由于疾病久治不愈形成的。在本书的前面部分已经通过病理报告的研究得出了疾病久治不愈的根源之一——材料不足。所谓的材料不足是指提供基因正确表达的养分不足。20世纪杰出的科学巨匠、生物化学家罗杰·J.威廉姆斯博士在他的一个报告中指出:"一般来讲,身体的细胞会由于两种原因死亡:其一,因为得不到细胞所需要的东西,其二,它们被细胞所不需要的东西给毒害了。"这句话道出了,疾病久治不愈的真谛:材料不足、毒素积累。

你的身体为什么会材料不足

　　在物质极大丰富的今天,身体居然还会得不到恢复健康的足够材料,这好像是一个笑话。然而,正是物质丰富的今天,却到处都是肚满肠肥的饥饿人群。我们的世界正面临一场营养危机,饥饿的人群没有足够的食物,脱贫的人们不会选择正确的食物。我们试图去做一些不可能的事情:吃着不能维持健康的食物,却想着能维持健康。虽然我们的肚子可能是饱的,也许我们吃了很多鲍鱼燕窝,吃了很多很贵的补品,然而,我们的身体依旧材料不足。因为我们并没有弄明白我们的身体到底需要什么。一般人并没有足够的知识,对该吃什么、如何吃以及应该避免去吃些什么都茫然不知所措。各种商家抛出的各种各样的信息把消费者搞得头晕脑胀。面对这些不当的信息,我们通常做一些不合理或有害健康的选择。这样的饮食必然无法提供好的环境使基因正常表达,人无法保持在健康的

　　炎症反应是人体清理战场的表现,是清除人体内受损细胞、细菌、病毒等残骸的表现。

利用消炎药中断人体的炎症反应,将导致人体垃圾排放过程中断,会引发人体内息肉、囊肿、肿瘤的发生。

状态因为不足为怪了。

大部分人的饮食组成几乎都涵盖了下面三种不良食物的选择:

1. 糖。

2. 精米面。

3. 处理过的食用油。

进食这些食物,特别是长时期地将这些食物作为日常饮食的大部分,几乎可以保证的是这种饮食绝对无法提供基因正确表达的环境,它们不仅不能提供什么营养,而且还是有毒性的。如果每一个人都能停止食用这些食物的话,那么现在所流行的各种名称的慢性病将大大减少。除了这三类食物本身的危害之外,真正的问题是我们每一天、每一餐都不断地进食这些东西,这些东西进入人体后,便是持续营造基因异常表达不利环境的黑手。

糖给你带来的浩劫

如果你想通过饮食的改变来改善现在的健康状态的话,那么请从现在开始将糖从你的饮食中完全去掉,最少做到从现在起减少对糖的摄入。

我们大部分人并没有觉得自己摄入了过多的糖,完全意识不到我们所消耗的糖的分量之大。我们好像对糖太熟悉,熟悉到了我们根本意识不到它是对我们健康的一个严重威胁的地步。因为糖并不是以一种形式存在,大多数的食品加工都会加入糖,我们已经在不知不觉中就摄入了大量的糖。

即使是很少量的糖,对身体的影响也是非常大的。例如仅仅两茶匙的糖（这个分量比我们喝的软饮料或一碗精米饭的分量要少得多)就会对体内的激素和营养产生很大程度的影响,这种影响可以持续几小时以上,破坏身体的平衡,将人体内的环境导入到一个混乱的生化状态。如果你早上、中午和晚上都吃糖(不过大部分人还是意识不到自己在吃糖),那么你的身体每天都将处于这种混乱的状态中,在这样一个混乱状态中,身体会做出各种尝试恢复正常的状态,但是糖就像坏环境中的一个重量级的砝码,使得健康的天平不断地倾斜。

在人类进化过程中的数千年前,我们的祖先除了食用在野果中天然的糖分之外,没有食用过任何精糖。精糖给身体带来的热量全部都是空热量,几乎不含任何维持身体健康所需要的各种营养素。不仅如此,糖还是一个反营养剂;糖分的摄入会从身体中夺走营养。人体消化糖需要一些营养素(它们在天然的水果中都含有,但是在精糖中却没有),这些营养素因为精糖中不含有,所以身体只能从其他地方调集过来使用,也就是说从其他组织中剥夺过来消化糖,这种剥夺将使你的身体营养素流失,从而影响健康。

作为一个反营养剂,糖也引起钙质在尿液中流失,迫使身体从骨头中调集钙来维持血液中钙的浓度。由于从骨头中抽钙,所以,过量的糖摄入成为骨质疏松的一个祸首。

糖分的过量摄入还会引起其他营养素的缺乏,例如镁、铬和锌等。当人体内没有足够的营养素时,便无法制造足够的、良好的消化所需要的酶。没有经过消化好的食物进入体内便会引起诸如过敏和免疫缺陷等严重状况出现。

慢性炎症的有效控制和肿瘤的不断出现,也许不是一种巧合。

> 炎症的发生除了暗示免疫系统在工作外,还意味着另一件事情——炎症部位细胞和组织的受损。

除此之外,糖分还会带来很多问题。例如破坏免疫系统的细胞,使人特别容易患上感冒和其他与免疫系统有关的疾病。糖在糖尿病的发病过程中也起到关键的作用。当高浓度的糖在我们的饮食中出现时,我们身体控制血糖的机制便会面临重大的挑战。糖也引起钙/磷平衡破坏,进而导致人体将蛋白质分解成为制造人体必需化学成分所需要的氨基酸功能下降。

糖给人体健康带来的破坏性作用,远不止于此。如果你希望从现在开始得到健康方面的改善,那么从现在开始改变吃糖的习惯。这些习惯包括加工食品的摄入、零食等。

精米面:隐藏的杀手

精米面是一种容易使用、容易储藏、由原本的谷物经过高度处理后的产品。古人以五谷为生,谷物本身是一个非常好的食物,但是经过磨碎加工变成精制米面后,它跟谷物便不是同一回事了。一粒粒精制的大米,就像一堆堆精制的糖,一碗碗精制的面,就像一碗碗糖。精制的米面除了糖,几乎不含其他营养成分,因此它与糖一样具有毒性,同时也是一种非常糟糕的反营养剂。

在制造精米面的过程中,谷物中曾经有过的营养(包括60%左右的钙、75%左右的镁、75%左右的锌、90%左右的钴、95%左右的维生素E、80%左右的维生素B_1和维生素B_3以及75%左右的叶酸)都给破坏了。同时必需脂肪酸和纤维也被破坏。因此摄入精米面,与摄入精糖没有多大的区别,身体消化这些米面将消耗人体本身大量的营养素,身体因为你的这个行为好像往自己身上捅刀子一样,自残!

当我们开始制作精米面的时候,并没有考虑过营养流失的问题,也就更没有考虑自残的问题了。制造它的出发点是为了使它更容易保存,不容易变质。为什么会不容易变质呢?因为细菌都觉得那不是理想的食物,所以敬而远之,而我们却兴高采烈地把它当成是我们的理想食物。然而,精米面带来的营养不良问题是非常严重的。我们的肚子里填满了这些米面,不觉得饥饿,但是这些空热量与我们身体所需要的材料相差太远,所以我们的身体会材料不足。

精米面另一个坏处就是几乎不含任何纤维,而纤维是适当排便和清除毒素、营造良好体内环境所必需的因素。吃太多的精米面跟便秘、痔疮、直肠炎等紧密联系在一起。

精米面对健康的威胁并不是来自某一顿饭,而是由于我们每天都在吃,而且几乎每天都在多次吃。我们要知道,很多谷物通常也是被加工过的,它们的营养也被削减到了比空热量好不了多少的地步。任何被磨碎和剥去了纤维和其他营养成分的谷物都不是一种良好的材料来源,因为必需营养成分都已经不存在了,而这一点大多数人都没有意识到,因此精米面就像隐藏着的一个杀手,严重威胁着身体的健康。为了避免这种伤害,我们尽量在选择食物时选择原始的食物或者没有经过精加工的食物。一种食物加工的工序越复杂,便离天然越远,对人体来说也就越无益。

处理过的食用油的真相

我们的身体需要合适的脂肪,但是这些脂肪并不是我们今天厨

纤维化的器官,就像枯死的老树。

房里可以看到的大量的处理过的食用油所带来的脂肪。

人体的细胞膜是构成细胞功能的重要部分,它是细胞内外物质交换的通道,无论是有益的材料还是有害的毒素都得通过细胞膜才能通行。细胞膜的主要成分是油脂类。当摄入适当的脂肪时,细胞膜会正常地调节进出细胞的物质通过,如果摄入的脂肪不好时,细胞膜便不能行使正常的功能,此时体内的环境便发生变化,所以疾病也随之产生。

因此人体需要摄入必需脂肪酸,这些脂肪酸人体无法自己合成,必须从食物中摄取。这些必需脂肪酸是构成细胞膜的基本材料,当脂肪酸的分子结构与细胞膜的脂类相对应,这些必需脂肪酸天然的结构化学上成为顺式脂肪,当结构相吻合时,细胞膜便能行使正常的功能,人体便能保持在健康的状态。

当油被加热到超过 100 摄氏度时(大部分商品油都经过这个加工过程),顺式脂肪的分子结构便会发生变化,形成一种不同的、具有毒性的脂肪,我们成为反式脂肪。反式脂肪不是很好的构成细胞膜的材料,用这种材料构建细胞膜时,便造出伪劣产品,细胞膜上漏洞百出,细胞内物质交换紊乱,如果身体各处的细胞都是这种伪劣的细胞的话,那么便会出现严重的问题。

在食用油加工过程中,产生大量的反式脂肪,无论是菜子油、玉米油、红花油、葵花子油和豆油等,还是一些氢化油如人造黄油等。这些含反式脂肪和其他毒素的油被人们广泛运用,用来做色拉油、用来炒菜、油炸食品等。

同样,这种处理过的食用油对健康的危害并不是偶尔使用那么简单,几乎我们每天都在摄入这些身体不需要的脂肪,积累在体内无法排出,成为威胁健康的又一祸首。那么我们该如何避免这种伤害呢?最好的做法就是从现在起,清理一下厨房和冰箱,尽量选用高质量的橄榄油和亚麻油。同时,有益的脂肪酸也可以在有机的、新鲜的、没有经过任何处理的食物中找到,如种子、坚果等。高质量的蛋类、肉类和鱼也是很好的脂肪酸来源。但是要注意的是,这些脂肪酸很容易在高温中破坏,所以尽量避免高温来制作这些食物。另外一个选择是选用品质好的脂肪酸补充剂,这是一个不错的选择,因为在日常的食品中,我们要找到合适的油的来源好像还是一件挺困难的事。

到这里,我们是否已经多少能感觉为什么我们的身体会材料不足?我们日常的饮食,是我们以为那样吃是很有营养的,而事实上,

你的身体正在发动一场战争,你不懂给她供应粮草,
而她却有敢于自我牺牲的亮剑精神。

我们不断地往自己肚子里面填垃圾，同时身体为了处理这些垃圾而付出巨大的代价，本来可以用来修复受损组织的材料被挪用了，本来可以提升精力的营养素也被挪用了，你的身体在到处东拼西凑各种有用的材料来处理被我们无知地塞进肚子里的垃圾，因此我们营养不良了，我们的身体材料不足了，疾病也没有办法恢复了。就是这样简单的道理。

身体所需要的材料

以国内目前的食品安全水平，我们不能祈求吃进肚子的东西都是对身体有利的，但是我们起码要保证吃进去的东西是有利的多于不利的，吃进去的东西能够提供身体所需要的材料多于提供给身体的毒素。所以，你应该把握的原则是你选择吃进去、试图填饱肚子的东西或者是试图治疗疾病的东西，必须满足这样的条件：**提供给身体的材料多于带进去的垃圾，这便是你选择食物的原则**。什么是垃圾？垃圾就是身体无法利用同时会让身体在处理时损失大量有用材料的东西，例如：精糖、防腐剂、农药残留、部分药物代谢产物等。那么什么是材料呢？材料也是人们经常说的营养成分，是构成人体基础的营养素和各种有益于身体的因子，例如各种氨基酸及衍生物、不饱和脂肪、维生素、矿物质、水、氧气等。人体所需要的材料蕴含在天然的食物当中。**何谓天然食物？就是少化肥、无精加工、当季的食物**，这些食物有下面几个特点：1.自然生产的、没有添加任何人工制造的化学制剂、杀虫剂、除草剂、人工肥料、防腐剂、抗生素、激素、处理过的动物饲料等。2.这些食物是新鲜的，新鲜

的意思并不是单纯没有腐烂这么简单，而是指当季成熟期收获的
蔬菜水果，食物被收割后便不会再增加营养价值，反而会随着贮存
期的增加营养开始流失，因此尽量进食刚收获的蔬菜水果，这点有
些困难，因为大部分人都不在自己生产这些食物，但把握住当地盛
产期的食物，这还是可以做到的。3.无精加工的意思是指尽量避免
过度烹饪、去皮、磨碎、烘干、冷藏、罐装等，食物加工的过程就是食
物中养分流失的过程。

身体到处塞满了有毒的垃圾

　　一根火柴烧完之后，除了发出光和热，还留下一堆灰烬。人体发
生各种生理反应，在生成养分同时也留下了许多类型的毒素：自由
基、细胞残骸、食物残渣、代谢废物等，这些毒素如果不及时清除的
话，将影响正常细胞的功能，影响细胞的生存环境。

　　积累在体内，人体无法处理的物质都称为毒素。换句话说，人体
用不了又排不出去的东西就是毒素。毒素干扰正常的细胞运作，导
致细胞功能出现障碍。最近毒素这个名词非常热门，人们都知道毒
素是危险的，但是毒素究竟会怎么危害我们的健康呢？

　　我们几乎浸泡在毒素中：我们所呼吸的空气，喝的水，穿的衣服
以及吃的食物。我们环境的毒素给身体施加过重的外在负担，同
时，消化不良，情绪低落又给人体增加了内部的毒素来源。

　　我们的身体具有一定的排毒机能，但是这些机能必须在人体材
料充足的条件下才能顺利进行。不当的食物摄取、药物使用、生理
机能紊乱、情绪低落等都会使毒素以某种形式在体内积累起来，毒

所有的慢性病产生的原因是养分不足，这是慢性病久治不愈的根源。

素的积累营造了一个不利的环境,导致基因的异常表达,产生疾病。

毒素的来源很广泛:

1. 环境中的毒素:DDT、辐射紫外线、水中的污染、有毒化学物质及重金属污染。

2. 食物中的毒素:肉品中的激素、食物及药物抗生素、经放射线照射处理的食物、食物中的细菌、农作物中的化学毒素、高温烹调的食物产生的毒素、食品中的添加剂、食物及饮料中的甜味剂和味精。

3. 生活中的毒素:香烟、酒精、药物、衣服、被褥、清洁用品、家庭及办公室用品释放的有毒物质。

4. 人体自行产生的毒素:乳酸、尿酸、酸化黏稠的血液,大肠中的宿便,胆结石,自由基与氧化脂质。

毒素停留在体内可以分为水溶性毒素和脂溶性毒素两种类型。人体有三大排毒器官:肾、皮肤、肠道。肾脏主要负责排泄水溶性的毒素,主要有代谢产物如尿酸、尿素等,水溶性毒素主要通过尿液的形式排出体外;皮肤主要负责排泄脂溶性毒素,包括饱和脂肪酸代谢产物、激素类药物、内毒素、细胞因子、调味品、防腐剂、农药残留物等,脂溶性的毒素主要通过汗液的形式排出体外。肠道可以排出两种类型的毒素。

当排毒器官不能及时排毒时,水溶性毒素将经由血液到达人体的软骨、滑膜和肌腱部位,毒素积累在这些部位,引发各种类型的关节炎症,如痛风的病人是尿酸在关节部位的积累造成的。脂溶性毒素经由血液转移到淋巴系统或各个器官的黏膜，形成息肉、囊肿、肿瘤，如各种肿瘤，便是脂溶性毒素积累的结果。各种类型的皮肤病变如暗疮、斑也是脂溶性毒素积累的结果。

　　清除人体毒素时，身体会有各种反应。关节部位疼痛、骨骼疼痛、肌肉疼痛的反应是排除体内水溶性毒素的表现。支持这种排毒反应的措施是大量喝果蔬汁或干净的水。排毒时皮肤溃烂、内脏疼痛、腹泻等反应是排除体内脂溶性的毒素。支持这种排毒反应的措施除了大量喝果蔬汁之外，需要额外补充营养素来加强肝脏的解毒功能，条件许可的情况下可以通过泡温泉来加速毒素的排放。

　　除了三大排毒器官外，人体其他带孔的部位如耳朵、眼睛、鼻孔、口腔等也是重要的排毒器官，这些器官是人体保护自己免受毒素积累侵害的重要器官。

六、健康与疾病之间的五个途径

　　健康与疾病之间的五个途径便是我们可以从疾病状态逆转到健康状态或者从健康状态到疾病状态的通道，把握好每一个通道我们便可以把握好健康。

食物

　　你选择的食物能给你的身体带来两种东西：有用的材料和垃圾。这个世界上没有一种完美的食物可以只带来好处，而不带来坏处。道理很简单。就像火柴燃烧时在释放光和能量时还会留下一堆的灰烬。食物进入人体后结果也是一样，除了提供给人体必需的养

疾病所表现出来的症状给人们太多的不舒服和恐惧，因此无论是病人还是医生都非常自然地想着要消灭它们，然而，这种消灭只是一种抑制，对身体来说，就是该倒的垃圾没有倒出去，最终只会以更猛烈的方式爆发出来。

是谁培养了孩子的惰性，我想大多是长辈，当孩子不小心摔了一跤，正不知发生什么事时，长辈们心疼地跑过去把他扶了起来，还要安抚一番，于是，孩子下次再摔跤的时候便学会了大声哭泣，来引起你的同情。身体也因为你经常代劳而慢慢地退化，最终丧失抵御疾病进攻的能力。

分(材料)之外，还将产生一些代谢产物，这便是食物通道中毒素来源之一。当然正常的食物代谢产物产生的毒素在人体健康状态下都能及时排出体外。

但是随着食品制作工艺的复杂，添加剂的使用，食物培育过程中化肥、杀虫剂、除草剂等的使用，土地贫乏等问题日益严重，我们所能吃的食物包括水在内，已经不是几千年前我们祖先所吃的天然的、有机的食物，通常，我们进食的同时，在我们毫无防备的情况下，也给体内带来了无数的化学毒素，这些毒素的积累身体必须重新调集足够的材料才能将它排出去，所以这些毒素就像反营养剂一样，在缺乏材料的身体狠狠地再踩了一脚。

医药

医药途径也许是经常要被人误解的。许多的人对药物在人类文明史上的辉煌成就赞不绝口，特别是在急救处理和精神创伤恢复中所取得的巨大成效。毫无疑问，医药在传统的治疗疾病所发挥的作用无可厚非，但是，我们如果对它盲目依赖而不考虑其他可替代的选择的话，那么就可能导致破坏性的甚至是致命的后果。

当今的社会存在着许多药物的推崇者。疾病和药物在人们心目中基本上是联系在一起的。这也是我们从小到大接受教育的结果。我们回想一下，从小时候第一次生病开始，父母便用药物来帮我们减少病痛的伤害，等到我们一直长大，有了自己的子女，我们也一样沿用了上一辈的做法，就这样，生病吃药的观念传递了下来，根深蒂固，深入人心。

　　药物在人类文明史上起到的巨大作用不可磨灭。目前药物至少应该包括两种类型：天然药物、人工药物。在人工药物出现之前，人类历史上使用的药物主要是天然药物，例如天然的植物、动物器官、特殊的泥土等，具有代表性的是中药及人类各种族的传统药物。历史不断发展，天然药物的使用越来越受到局限，例如中药的使用，即使是受过专业训练的医师也未必可以发挥它的最大作用，天然药物使用的秘诀只掌握在少数的行家手上。

　　人工药物如化学药物、生物制剂等因其在控制疾病症状表现出来的神奇功效，例如抗生素的出现为人类所带来的巨大贡献，所以这类型的药物很快风行全球，并为人们所惯用。然而人工药物，目前面临着一个尴尬的局面是，面对越来越多的慢性疾病，这类药物失去了往日神奇的功效，同时在长期使用过程中面对种种毒副作用也显得很无奈和无能为力。但是，无论科学家还是普通大众似乎还沉浸在这类药物神奇功效的回忆中，总是希望可以找到攻克疾病的特效药，然而疫苗的神话、抗生素的神话不断地在希望中破灭。

　　人工药物使用出现今天这种尴尬局面的原因并不难找到。我们不需要做很多的论断，只需要弄清楚两个简单的问题，便可以找到答案。第一，人工药物在对抗疾病过程中到底起什么样的作用？第二，人体到底需要什么？举个例子来说明这两个问题，桌子有一个桌脚损坏了，为了使桌子不倒塌有两种方法，第一是在损坏的桌脚上绑一个支撑物，这种做法可以使桌子暂时不会倒塌，但不是长久之计。第二是把损坏的桌脚换一个新的桌脚，这种做法虽然麻烦，

掩耳盗铃的故事大家都非常熟悉，
我们经常对身体干的事情也有点像那个偷铃的人。

有时,情况并没有想象中那么紧急,何必急着去动刀子呢?何况,身体的器官属于一个完整的系统,即使是辆汽车,少了一个螺丝都不太妥当,更何况是人体呢?

但这是解决问题的根本办法。人工药物在人体对抗疾病过程中的作用就犹如那根绑在坏桌脚上的支撑物,这种支撑可以在一定程度上帮助身体来对抗疾病所带来的损坏,然而,这种支撑只有在紧急状况出现时使用,才能体现出其作用,当慢性疾病出现时如果还是寄希望于这种支撑的话,必然得不到好的结果。这种短暂的支持可以令身体打破被疾病控制的僵局,在一定程度上是有利于身体恢复健康的。

但是药物是不宜长期使用的,首先它并非是构成人体所需要的材料,而是外来物质,在身体无法有效利用时,变成了毒素的来源,身体必须花精力将其排出体外。其次,药物的毒副作用是对人体的剧烈伤害,许多药物之所以成为药物是因为它的毒性,例如化疗、放疗中使用的药物,多数是剧毒且本身也是致癌的药物。在处理药物给身体带来的毒素过程中,身体同样需要调集营养素来完成这个过程,处理不及时便使毒素堆积,从而影响人体健康状态。

生理

也许你曾经听说过这样的说法:想要保持健康就要做大量的运动并保证充足的睡眠,而且不要染上药物、香烟和酒。这些说法好像是老生常谈,已经吸引不起你的注意力和兴趣。然而睡眠、呼吸、运动确实在不同程度上左右着你的健康。

睡眠:有效的解毒与修复

适当的睡眠是一种深层次的生理需要,也是生命的一种必要条件。我们身体只有在睡眠状态下才会开始进行细胞修复、产生新细胞。然而我们的生活却变得如此繁忙，以至于有时候我们忘记了完全休息和清醒之后应该是怎样的一种感觉。我们的夜生活变得如此多姿多彩，以至于我们忘记了一个很好的睡眠到底是怎么回事。人们为了各种各样的理由来剥夺应有的睡眠时间，然后为了抵抗睡眠不足带来的困倦而使用咖啡、糖和其他刺激物，这将本来已经很糟糕的身体状态推到更糟糕的状态。很多人以为睡少一点便可获得更多的成就，但是事与愿违，经常睡眠不足的人都会出现大脑反应迟钝、脾气暴躁、情绪不稳、意志消沉等，这是因为，在睡眠之中，人体会进行自我修复，当受损的部位无法及时修复时，伤害状态一直存在便需要更多的材料来完成修复过程，同时也增加了毒素积累的机会。

重要的解毒器官肝脏，在人的睡眠状态下是非常活跃地工作的，忙着将积累下来的毒素化解和清除，然而不良的睡眠习惯使得很多人无法满足肝脏的解毒要求，因此体内的毒素不断积累，最终影响到整个身体的健康状态。

对某些人来说，简单的改变一下睡眠的习惯就能获得健康的状态，在本书后文将提供一个简单易行的睡眠计划给大家。

正确地呼吸

千万不要将呼吸当成一种理所当然的事。身体没有食物的话，可以存活好几个星期，没有水的话可以存活好几天；但是没有氧气的话，却只能存活几分钟。氧气在人体中的重要程度可以放在首

人类的智慧，可能正在糟蹋人类身体的智慧。

所谓救死扶伤,就是在人的身体出现紧急情况时介入,使得情况变得不那么紧急,令身体具有康复的时机,并不是将一个病人由疾病状态治疗到健康状态。

位,虽然氧气是我们最廉价的材料,但是我们通常都会忽略它。你呼吸的方式可以极大地影响你的健康状况,是你把握健康的一个非常廉价的途径。

在日常生活中,我们许多人都采用不正确的呼吸方法,要么呼吸太多或者呼吸不够。不管是哪种不正确的方法,这些方式都会造成人体的缺氧状态,这又是一个影响基因正常表达的重要因素。呼吸过度通常是紧张的结果。紧张使得我们的呼吸太沉和太快捷,例如喘气、浅呼吸、快速呼吸或屏住呼吸等。偶然地过度呼吸不是个大问题,但是,生活的紧张使我们许多人长期过度呼吸,因此便出现了心悸、心跳不规则、头晕、肌肉痉挛等。呼吸过度也会使得身体失去太多二氧化碳。二氧化碳是被我们误解最多的一个东西,虽然它不是人体需要

的养分,但是它却是帮助人体利用氧气的不可缺少的分子。正常条件下,氧气是通过血红蛋白运送到身体的组织中,二氧化碳则帮助

氧气与血红蛋白分离，只有当氧气与血红蛋白分离之后，组织细胞才能利用氧气。所以二氧化碳不足时，人体同样会面临组织缺氧的状态。血液中缺氧的另一个麻烦是，会使血液中的 pH 值偏碱，这时机体便会通过排泄碱性的矿物质如钙、镁等来平衡血液的酸碱平衡，这种状况如果长期持续的话，将带来骨质疏松之类的疾病。

曲解的运动

运动的好处众所周知，然而大部分的人却并没有因为"运动"而获得良好的健康状态。在人们观念中，运动好像就是拼命地打篮球、踢足球、登山、跑步、到健身房健身等。除此之外，人们居然会选择五花八门的时间进行运动，有凌晨三点起来晨运的，也有晚上十二点满公园跑步的。人们知道运动的好处，却整天选用不适合自己的方式在不适合的时间进行运动，反而消耗了人体内储存的材料，同时扰乱了正常的生理周期，所以最终无法得到真正的健康。

我们知道人体 24 小时存在身心状态的变化规律，每个时间段都有特殊的生理现象。晚上的 9 点到凌晨的 3 点，这段时间是人体自身修补的时间。晚上 9 点到 11 点是免疫系统运作时间，特别是小孩子的免疫系统还没有健全，所以一般建议小孩子在晚上 9 点之前上床睡觉。晚上 11 点到凌晨 1 点，这段时间是骨髓造血的时间。凌晨 1 点到凌晨 3 点是肝脏修复的时间。凌晨 3 点到凌晨 5 点是呼吸系统运作的时间。5 点到 7 点大肠蠕动最快，是吃早餐的最佳时间。7 点到 9 点，是胃功能最活跃的时候。9 点到 11 点是脾脏最活跃的时间。11 点到下午 1 点，又是身体造血的时间。下午 1 点

西方现代医学在疾病分类和病因探索以及特效药物研发的海洋中淹没，迷失，找不到解决问题的方向。

到 3 点是小肠最活跃的时候。下午 3 点到 5 点是膀胱最活跃的时候。下午 5 点到 7 点是肾脏最活跃的时候。晚上 7 点到 9 点，是心脏和神经系统最活跃的时候。所以我们在安排自己一天的活动时，最好配合身体的节律，而不要随便选择一个自己认为适合运动的时间就做运动。假如你的行为与身体的节律相背的话，对身体来说可能并不能达到好的保健效果，反而会因为这种不和谐而造成伤害。其实良好的运动形式应该是适度、轻松并随时能够进行的，比如久坐之后的伸懒腰、办公室小憩时的来回走动、空隙时间按摩身体等这些小动作，而不是非得找个特定的时间做特定的动作才算运动。

当然，假如你是为了达到形体塑造或其他针对性很强的目的的话，必须在专业的运动教练指导下进行，并配合相应的营养计划才能进行，不能贸然而动！

心理

人类的潜能永远无法被彻底解释，心理途径对人体的影响同样也是我们无法想象的。即使是在材料极度缺乏和毒素大量累积的情况下，一个人的健康潜能也几乎无法预测，这主要依赖于我们自己对疾病的心理。人的想法和情绪对我们的基因表达有着巨大的影响，同时对健康的影响也非常强大。

我们每一个想法、每一个情绪的释放、每一次交谈都是我们体内无数生物化学反应的结果。害怕使我们脸色苍白、害羞使我们脸红。科学家们也正在逐步证明这些与"思想、情绪、心理"有关的化学物质或者对健康有益,或者对健康有相当危害。

消极的行为、想法、情绪和压力能够对人的免疫系统功能产生负面的影响。它们降低人体对感染的抵抗能力,使我们更容易感染细菌、真菌、病毒和其他微生物的病患。但是当你采取积极的态度时,这些状况便会迅速得到改变。

人体对压力的反应也是心理影响健康的一种表现。例如外界压力作用于人体可能产生的疾病模式:压力持续→肾上腺分泌肾上腺素→预警人体处于压力状态→人体各个器官做出相应反应:胃肠加快食物原材料的消化吸收,以保证养分来源充足。压力持续不停,胃过度工作,胃细胞过度消耗,产生溃疡,胃酸分泌减少,导致消化不良、胀气等。压力持续不断,肠道细胞过度消耗,产生溃疡、炎症等疾病。肝脏,持续工作,加快原材料的加工合成应对压力所需要的养分。压力持续不停,肝脏过度工作,产生的过多毒素无法及时排泄,肝脏功能受损,产生肝脏方面的疾病。心脏加速博动,加快血液养分供应,以保证有足够的能量应对压力。如果压力持续下去,心脏过度工作将引发心脏细胞消耗,产生心脏方面的疾病。肌肉方面,肌肉弹性增加,收缩能力增强,压力持续不断,肌肉过度绷紧,产生肌肉酸痛等症状。压力假如持续不断下去,肾上腺过度工作,导致肾上腺功能衰竭,引发新一轮疾病的发生。

通过上面的分析,我们可以很清晰地知道,其实,每一种疾病只是身体在不同时期的表现,在面对压力时,人体不可能只有一处器官出现问题,人体的各个脏器相互联系在一起,必然会受到牵连,至于在某个时期主要表现一种疾病,那只是突出的主要矛盾而已,

---

大多数基因都是在特定的条件下才进行表达的,人的生理现象(包括健康与疾病)是基因在特定环境下表达的产物。

> 健康与疾病本质是一致的,都是身体的一种生理状态。健康是基因在适当的环境作用下正确表达所呈现出来的生理状态;疾病是基因在不良环境作用下异常表达所呈现出来的状态。两者都是基因与环境互动的结果。这便是我们对健康和疾病的定义。

并不代表其他地方就没有问题。

　　无论身体对抗外界不良因素影响的机制如何,保持积极乐观的心态,对于获得健康都是非常有意义的。每天对自己、对家人、对同事、对朋友多一点微笑、多一点乐观的情绪,久而久之,我们的心理模式便会悄悄地发生变化,对健康的影响也会逐渐起到积极的作用。

环境

　　在这里讨论的环境主要集中在我们人体外部的环境。外部环境包括空气质量、家具释放的有害物质、衣服上残留的洗涤剂、电磁辐射、温室效应等。我们今天所居住的外部环境,与我们的祖先相比真是差多了,基本上我们生活在一堆毒物里面,要保持点健康还真是不容易。大的环境没有办法选,但是我们可以选择去原始的生态环境旅游、选择少用手机、少看电视、少用微波炉、房子的装修尽量简单等,这些生活的细节我们可以选择。在这种状况下要获得健康没有太多速效的方法,但是不断地做好每一件有益健康的事,那么你便会离健康越来越近。

第三章 康复之道

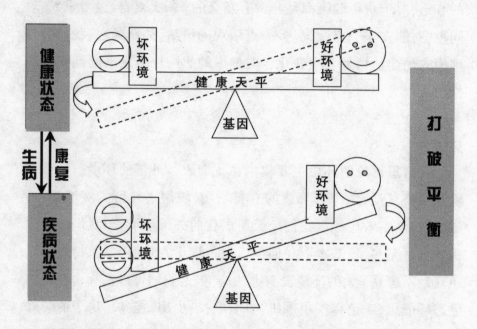

无论是从健康状态发展到疾病状态还是从疾病状态回到健康状态,都是一个天平平衡被打破的过程。因此生病和康复的过程也是非常相仿的。

一、你必须承受的痛苦

　　早期研读中医和韩国医学古籍的时候,经常看到一些病例的记载和分析。印象最深刻的一个病例是,韩国古代名医许浚所著《东医宝鉴》中的一段记载,当时朝鲜一位得势的国舅,因翻胃(即胃癌)而口角歪斜,在医治过程中,突然口吐淤血,众太医惊恐,认为应马上

･･･

基因表达是受环境控制的,环境因素影响基因表达的结果。

止住吐血,唯有许浚坚持让其吐完淤血,最终淤血吐完而得愈。我一直非常敬佩许浚医术的高超及其过人的勇气。现在大部分的人,已经丧失了他那种与身体对话的勇气和读懂身体信号的智慧。

控制症状不等于康复

把症状控制好,把指标控制在标准范围内,这是西方现代医学甚至是大部分人对康复的理解。西方现代医学习惯于拿一些医学标准来衡量身体是否康复,只要症状消除、指标恢复正常,那么便可以出院回家了。

这种忽略病因的消除和不采取措施支持身体组织再生,实际上是没有办法做到真正意义上的康复的,反而有可能将疾病推向更加严重的境地。

控制症状的结果就像一栋楼发生火灾,火警铃响了,保安不去报警让消防人员来灭火,反而跑去把火警铃关掉一样。这样的结果当然警铃是不响了,但是大火继续烧,直到把楼烧光。

真正意义的康复是健康的组织完全代替受损的组织,而不单纯是症状的控制。就好像房间里面灯泡坏了,只有重新换一个新的灯泡才是把问题解决了,而不是临时点根蜡烛来照明。

必须承受之痛

疾病的产生是一个平衡被打破的过程。当新细胞生长的速度无法与老细胞衰亡的速度平衡时,疾病便会发生。这种原理并不复杂,就像小孩玩的翘翘板游戏,要保持翘板的平衡,必须让两个体重相当的小孩分别坐在两端,否则翘板的平衡就要被打破。

疾病的康复也是一个平衡的打破过程。不平衡的翘板,在一定意义上又是一个新的平衡,所以逆转疾病的过程,便成了又一个打破平衡的过程。

很多病人以为康复是一件轻松的事情。在他们的想象中,疾病的康复是可以突然之间发生的。今天晚上身体还是生病的,睡一觉起来之后便好了。

有很多的朋友,当被告知康复过程中需要坚强的毅力,承受一定的痛苦时,很多人便打退堂鼓了。他们不明白,即使是修理堵塞的水龙头,也需要先用扳手敲敲打打,才能通,更何况是人体呢?

大部分人在恢复健康的过程中都将出现一些不适症状,有些会比生病本身更加难受。列举一些常见的症状给各位参考对照。

多痰

接受调养后,出现多痰的症状,是人体正在排除呼吸道、肺部和黏膜系统的垃圾,是人体排毒的一种表现。

咳嗽

咳嗽是人体采用反射防御的机制,排除聚集在人体呼吸道、肺部的毒素,是人体排毒手段之一。

皮肤病

接受调养后,皮肤出现各种病变,如过敏、水痘、癣、香港脚、青

基因营养学所指的环境并非单纯的居住环境等大环境,
更多指的是人体可以调控的的微环境,如细胞内环境、血液环境、
肠内环境等。

人体内的各种物质共同组成了人体的微环境，
人体的微环境可以通过调节人的食物、情绪等来控制。
人体环境的可控性为我们控制基因表达创造了条件。

春痘、生疮等，这是人体帮助肝脏解毒，排除积累在血液、组织器官中的脂溶性毒素的表现。皮肤如果有溃烂可以用酯化维生素 C 粉末或水解钙粉处理伤口。出现大面积的皮肤溃烂现象，请咨询为你提供调养建议的专业人士，做正确的处理。

盗汗

　　接受调养后，出现盗汗或多汗的现象，是人体排出淋巴系统毒素的表现，排出的毒素以脂溶性毒素居多。在不断出汗的情况下，请及时补充果蔬汁，同时适当补充深海鲑鱼油。或者在洗澡的浴缸里撒一把粗海盐，浸泡 30 分钟左右，清水冲洗。如果出现持续乏力

饭后
30 ~ 90分钟

的症状,请咨询为你提供调养建议的专业人士,做正确处理。

呕吐或腹泻

接受调养后,出现呕吐或腹泻的症状一般是人体在排出胃肠积累的毒素。有些人只是单纯的呕吐或腹泻,有些人会同时发生。有些人一天要上八九次厕所,有些人持续时间较长,达一周左右,有些人持续一两天就结束。每次呕吐或腹泻完请及时补充果蔬汁。有些人腹泻到肛裂,可以用水解钙离子兑水冲洗伤口。如果出现浑身无力的症状,请咨询为你提供调养建议的专业人士,做正确处理。

尿频

接受调养后, 出现尿频的症状一般是人体在排出水溶性的毒素。这部分毒素大多积累在骨膜、滑膜、软骨等部位,所以可能尿频会伴随肌肉\关节或骨骼疼痛一起发生。

高烧

接受调养后,出现高烧的症状,是人体免疫力提升,排除积累在人体特别是骨骼中的毒素的反应。是人体自我改善的最佳途径。发烧时补充大量的果蔬汁(1000~2000 毫升),同时补充 1000 毫克天然维生素 C 和 3 粒天然萃取的松果菊片剂, 一般的发烧过程可以在 2~3 天内完成。小孩子用量减半。假如 3 天以后仍然不能退烧的话,请咨询你提供调养建议的专业人士,做正确处理。

营造好的基因表达环境其实是通过调节进入人体内各种物质的种类和浓度来完成的。食物、医药、生理、心理、外环境是物质调节的五个途径,通过这五种途径,可完成环境的营造。

健康和疾病都是人体的生理状态，
这两种状态是基因在特定环境下表达的结果。
各种慢性疾病是基因长期处于不良环境中异常表达的结果。

吐血或便血

接受调养后，出现便血或吐血的情况，一般是人体将肿瘤、囊肿、息肉等液化后化为血水排出体外。上半身的肿瘤或囊肿基本上由口腔吐出，如果下半身如小肠、大肠等部位的肿瘤则由肛门排出。肿瘤所产生的吐血或便血一般量较大，持续时间短。有些痔疮患者也会便血，这种便血量小持续时间稍微长。出现便血或吐血的症状，尽量保持食用流质食物或单纯的果蔬汁加适当的营养素。出现吐血或便血的现象，建议与提供调养建议的专业人士保持沟通，以便及时调整。

黄疸

接受调养一段时间后，部分肝胆部位有不适的病人，会出现黄疸的现象。持续一段时间后会消退。这是肝脏或胆囊纤维化细胞脱落、裂解造成血液胆红素升高，是疾病开始康复的信号。持续黄疸超过一周，并伴有头晕、疲劳、食欲下降等症状，请咨询你提供调养建议的专业人士，做正确处理。

肌肉酸痛

接受调养后，出现肌肉酸痛的症状是身体放松的表现。由于长期的压力或刺激因素一直不断，人体有些部位的肌肉一直得不到放松，久而久之肌肉变得僵硬。调整后僵硬的肌肉放松时，会产生酸痛的感觉。出现这种症状时，可以在洗澡的浴缸里撒一把粗海盐，浸泡30分钟左右，清水冲洗。或者在可靠的地方浸泡温泉，可以使肌肉得到进一步的放松。肌肉放松的真正意义在于给身体传递解除警报的信号，使得肾上腺从超负荷的工作状态中解脱出来，这是改善亚健康状态的关键点。

抽筋

接受调养后，出现抽筋的现象，这是人体神经细胞恢复知觉过程中的调整动作。

全身不规则疼痛

疼痛通常有两种，一种是组织损伤，另一种是神经压迫。接受调养后，当受损组织的细胞大量再生时，对周围的神经产生压迫，所以会产生疼痛感。接受调养后发生的疼痛是组织再生的信号。

头晕

接受调养后，出现头晕的现象是血液循环改善的信号。当血液黏稠度下降，血管通畅时，血流速度会加快，人体没有调整适应时，便会产生头痛头晕等不舒服的症状。

疲劳嗜睡

接受调养后，会出现疲劳嗜睡的现象。当人体改善肝脏时，人就会觉得很爱犯困，甚至走路时都想睡，这种情形出现时，则表示以前对蔬菜水果摄入过少，睡眠不好或者经常熬夜，很爱犯困是在补充过去睡眠的不足。

疾病是一个动态的发展过程，对身体来说，先由量变的积累，疾病的爆发便是疾病质变的表现。

儿童的睡眠时间通常比成人要长，这是因为通过睡眠身体的生长发育才能够得到进行。犯困是器官需要修复的信号，不妨放下手上的工作，补充足量的营养素，然后好好睡一觉。犯困期过去，身体将得到一个新的提升。

关节痛

接受调养后，出现关节痛的症状，是人体在排出积累在滑膜、软骨处的毒素引起的。这部分的毒素是水溶性毒素。出现这种症状时大量喝果蔬汁，尽快将毒素带出体外，同时可以服用水解钙离子果汁，可以加快排毒的过程。假如反应过于激烈，可以用高浓度的水解钙离子水敷在疼痛部位。

胃痛

接受调养后，出现胃痛的症状是胃部神经恢复知觉，同时胃受损部位细胞再生的表现。

血压升高

高血压通常是因人体血液混浊、血脂高、血管壁沉积胆固醇或其他毒素,使人体的末梢循环不畅引起的,人体为了保证正常的养分供给,必须调高血压才能保证正常的血液流通速度。在高血压改善过程中,大血管里的毒素流入小血管,极易使小血管阻塞,因此末梢循环变得更不通畅,而使血压比原来更加增高。当血管内的毒素全部清除时,血压就会降低,反复几次,直到血压恢复正常为止。

晕厥

有两种情况会发生晕厥,第一种情况是身体在调养过程中反应过于剧烈,人体感觉无法承受这种痛苦时,人会出现晕倒的现象。这是人体的本能反应。例如当一个人受伤或受到重大打击时,人体就会失去知觉,以减轻人体的痛苦。第二种情况是一些低血压的病人,在血循环改善后,身体没有调整适应前,会发生脑部供养不足的现象,这时也会发生晕倒。病人晕倒时,只要心跳和呼吸正常,那么可以通过提供通过补充 6~9 勺蛋白质粉,150 毫克天然 B 族维生素,2000 毫克天然维生素 C,1500 毫克钙镁合剂,来避免病人发生生命危险。

限于篇幅,只列出十几种较常见的症状,加以说明。虽然不同的人会有各自不同的症状,但是希望大家记住一件事情:疾病的康复可能比疾病本身更痛苦,但是假如想要得到真正的康复,必须克服困难。不要轻易去用药物抑制这些症状的出现。药物的介入,将使一切努力白白浪费。

大问题通常是由于小问题积累的结果,严重的疾病通常也因为小毛病积累而成的。积累的力量是不容忽视的。中国有句古话:"勿以善小而不为,勿以恶小而为之!"这句话可以非常好地表达健康和疾病之间互换的微妙关系。

> 病情的变化就像战况的变化，每一个阶段都会有影响胜负的因素，每一个阶段都有转败为胜的机会。关键在于你是否能够准确地把握住每一次机会。

出现这些反应时，首先自己确认在出现症状之前是否发生过类似的症状。有一个叫途乐的朋友，她在调养过程中，突然腰痛得很厉害，我问她在腰部是否曾经受过伤，她说在几年前旅游时腰部扭伤过，后来搽药酒不疼了之后就没再理会。我让她再坚持观察两天，告诉我情况，结果第二天她告诉我昨天腰痛的部位不痛了。我笑着恭喜她好转。人体有不断逆转疾病的机制，即使是很多年前，甚至小时候出现的一些症状，在给予身体足够支持的情况下，都会有机会在逆转时重新出现，然后才有机会得到康复。这种康复时出现的症状通常在5~7天之内会消失，同时这种不适的症状与生病时的体会会有很多细微的差别，每次经历这些症状后，身体都会到达前所未有的轻松或像回到年轻时候的感觉。假如这些症状在5~7天内没有消失，并且没有轻松感，那么应该考虑是否出现其他病变，应及时咨询专业人士或就诊。

以上所描述的症状，专指在执行定制的康复建议过程中比较常见的一些症状，不包含未经调养便出现上述症状的情况。如果在没有执行任何调养建议时遇到上述的症状应做其他考虑，建议到医院检查并就诊，或咨询可信赖的专业人士。

二、获得健康的策略和方向

现在，我们已经了解了健康与疾病的各种基础，但我们最关心的也许不是那些观念和知识，而是确确实实地告诉我们该怎么做才能获得健康。

我们知道，健康与疾病是基因和环境互动的结果，本质都是身体的生理反应。我们也了解了疾病发展的三个阶段是从细胞功能障碍,然后到局部组织受损,最后到器官功能衰退。同时我们也认识到疾病发生的两个根源是材料不足和毒素积累。基于这几点,基因营养学制定出获得健康的三个策略:合理使用药物、营造良好的基因表达环境、重建健康组织细胞。

(一) 合理使用药物

关于药物的问题,我认为在适当的时候使用药物是应该的,但不应依赖和滥用药物。关于药物的使用,其实应该是治病的问题,本来不应该成为恢复健康的策略之一。但是,在某些危急的患者身上,为了控制病情,使身体有康复的机会, 还是需要在医院的处理下借助药物的作用来完成病情控制的环节。假如,身体连康复的机会都没有,那么也谈不上如何恢复健康,所以姑且将药物列为策略之一,不过这部分的工作必须在医生的指导下来完成。

(二) 营造良好的基因表达环境

基因表达的环境受到体液酸碱平衡、激素水平、肠内环境、细胞内环境、神经传递等因素的影响,我们可以从以下几个方向来营造

医疗标准不应视为健康与疾病的分界线,而应该作为读懂身体状态及破解身体语言的工具。无论是疾病的发生还是康复过程,都不应把指标控制在正常范围作为恢复健康的标志。我们应该关注的是这些指标所代表的真正生理意义,然后给予身体恰当的支持。

对医学指标肤浅的阐述,将使疾病在人们的无知中尽情发展,导致身体的最终崩溃。

良好的基因表达环境。

1. 释放压力

压力存在于生活的各个层面,我们无法回避压力。压力对人体环境的影响主要在于对人体激素水平的影响,激素水平的变化进一步影响到人的健康状态。例如压力对身体的伤害在于,持续不断的压力迫使身体长期处于备战状态,各器官过度劳损而引发疾病。就像一辆新车,假如一直不断地开,从不停下来维护,那么结果可能开不了多长时间车就要报废了。并不是车的质量不好,而是任何机器过度劳损便会造成不可逆转的伤害。就像一个弹簧,假如一直不断地拉,到临界点还是不放松,那么最终的结果便是把弹簧拉断,变成废物。所以面对压力的唯一方法就是学会在压力导致机体损伤的临界点之前进行放松。

音乐、瑜伽、按摩、运动、水疗、香熏、冥想等方式都是释放压力的很好途径。按摩、水疗的作用可以让人体肌肉放松,肌肉放松的意义在于传递压力解除的信号给肾上腺,让它解除戒备,从而避免各器官的过度消耗。音乐、香熏、冥想等可以让紧绷的神经得到缓解,同样可以给肾上腺解除压力的信号。

放松的真正意义在于缓解肾上腺的过度疲劳。压力引起的肌肉紧张、神经紧张、心情烦躁等都将导致肾上腺过度分泌,使身体总是处于一种应对压力的状态,总是处于一种备战的状态。

肾上腺素的分泌本来是在人体面临巨大压力时分泌的激素,肾上腺素分泌时,肌肉收缩力度加强,神经传递速度加快,应急能力提高。古人类在恶劣的生存环境下,通常需要随时分泌大量的肾上腺素用于捕猎、逃命、打斗等。

当压力一直得不到解除的情况下, 便会引发人体各器官的疾病,从心脏病到胃溃疡,甚至更严重的疾病都与压力得不到及时的释放有关。

压力的释放,是身体康复的开始。

2. 调节免疫力

免疫系统是清除外源物质及体内自身残骸的重要组成部分,在维护人体内良好环境中起到重要的作用, 同时免疫力是人体攻击性的武器,大部分疾病必须依赖免疫力才能得到彻底的康复。无论是对抗外来物质如细菌、病毒的入侵,还是清除人体自身变异的细胞如肿瘤细胞等都需要免疫系统发挥作用。免疫系统对身体的重要性犹如军队于国家的重要性一样。艾滋病为什么让人们闻之色变, 就是因为在艾滋病毒的攻击下, 人体的免疫系统处于瘫痪状态,免疫系统瘫痪的结果使人体无法抵抗任何一点微生物的冲击,那怕是一个感冒也可能要了人的命。

3. 提高肝脏功能

体内毒素的积累是"坏环境"产生的重要原因,作为体内最大的解毒器官肝脏,经常处于超负荷的工作状态,肝脏功能的下降会加重体内毒素的积累, 所以许多慢性疾病的康复过程中必须先将肝脏的功能调节好。很多人都不认为自己的肝脏会有问题,但是,

疾病久治不愈与医疗水平是否先进无关,
而与你身体材料是否充足有关,与体内是否积累大量毒素有关。

丰衣足食的人们，身体却依然缺乏营养！原因并非是食物不足，而是食物的选择不对，吃法不对。

事实是，大部分人正是因为肝脏功能的下降，才引发了各种各样奇奇怪怪的慢性病。我们觉察不到肝脏功能的下降，是因为肝脏的牺牲精神，轻伤不下火线，只要还能工作便会继续运作，这也是为什么很多肝病的患者，要么检查不出有问题，要么就检查出大问题的原因。

4. 定期清洁

定期给身体做个清洁工作，这个清洁工作可以将积累在人体血液、关节、淋巴、肠道等地方的毒素清除出体内，这部分的工作就像定期给房子做大扫除，是非常有必要，对人体保持健康状态非常重要的动作。给体内清洁的办法，在后面的"MSC 计划"中有详细的阐述。

5. 抗氧化

自由基对人体健康的影响很多人都知道，自由基破坏基因正常表达环境的威力异常强大，因此，要想健康，抗氧化的工作不能不做。

（三）重建健康组织细胞

人体的正常运行体现在各个组织器官发挥正常的功能。这首先要求构建成各个组织器官的细胞必须是健康的，所以重建健康组织细胞成为另一个重要策略。

1. 及时提供足量正确的养分

人体是由细胞组成的,细胞的正常运行靠充足的养分。就像盖房子需要钢筋、水泥、沙石一样,人体也需要蛋白质、脂肪、碳水化合物、维生素、矿物质。这些养分是构建机体的物质基础。

养分的提供首先要及时,不能说今天需要的,你下周才给,当然这样的情况发生身体的康复自然会受到影响。借钱不一定会及时还,但是如果你身体缺营养素,那一定记得马上补充。其实道理很简单,例如发生火灾,不能说今天不想救,明天再救,等到你想救的时候也许早就烧光了。

其次要保证养分的充足,短斤缺两身体也无法正常工作。像豆腐渣工程,偷工减料,最终的结果是劳民伤财、害人害己。有很多病人,以为能省则省,营养素能少吃尽量少吃,结果无法达到康复的效果却又来怪罪我们没有尽力帮他。要想马儿跑,又不给马儿吃草,你的身体也一样不可能在没有材料的情况下正常工作,巧妇难为无米之炊嘛。所以该用多少,还得用多少,不能省。

当然,给的养分还必须是正确的,是身体所需要的。不能因为身体不舒服便拼命吃一些所谓的对身体好的东西。假如养分给得不正确,不能被身体所利用,那么再及时,再足量,对身体来说都是个负担。就像朋友搬房子,你明知道他已经买了冰箱,你还非要送他一个冰箱一样,当然冰箱不用的话可以卖掉。但是吃到体内的东西,要想把他弄出来,可要花费身体一番功夫,不但对身体无益,反而是一种伤害。

我们对糖实在是太熟悉,摄入了大量的糖分之后依然毫无察觉,以至于给身体带来无尽的浩劫。

仅仅两茶匙的糖（这个分量比我们喝的软饮料或一碗精米饭的分量要少得多）就会对体内的激素和营养素产生很大程度的影响,这种影响可以持续几小时以上,会破坏身体的平衡,将人体的内环境导入一个混乱的生化状态。

2. 加快细胞修复

受伤的细胞清除后,必须有新的细胞来代替执行功能,以维持生命的进行。组织器官重生是疾病康复的最终目的。

以上便是基因营养学获得健康的三个策略七个方向,根据这些策略和方向,具体的实施方法请看下文的 MSC 基础保健计划。

三、MSC 计划:基础保健计划

根据健康与疾病之间的五条途径和疾病康复的五个主要方向而制定的 MSC 计划,是日常基础的保健计划。所谓 MSC 计划就是膳食(Meal)、睡眠(Sleep)、清洁(Cleanse)三方面的计划,MSC 计划以五条途径为媒介,实施疾病康复的五个主要方向,使得我们的日常保健变得简单及可操作性强。

M 计划:一日三餐

健康当然应该从一日三餐开始!

1. 你的厨具

假如你还没有成家又很懒,那么很好,这套厨具的组合一定适合你。如果你已经成家,但厨房太小工作也太忙,那么这套厨具组合也一定适合你。假如你家房子很大,那么就更适合你啦。

首先是一个多功能的电高压煲,至于是什么牌子、什么型号的好,你可以根据自己的经济情况和需要来买。电高压煲的好处就是可以很快速地把豆类、芋头等比较难煮的东西煮熟,同时营养保存得不错,当然也很安全方便。这个设备绝对适合单身的懒人朋友使用,当然其他人用更加没问题。

　　再来一个搅拌机,牌子和型号依然可以自己选,但是最好选那种钢刀片比较好用。搅拌机的好处,是可以把所有你不想用嘴巴咬的东西都弄碎,然后把它们毫不费劲地吞到肚子里。

　　最后,来把刀,厨房当然离不开刀啦,总是有些菜、瓜果之类的东西需要切的。

　　必备的就是上面三样,当然条件许可的话还可以弄个冰箱,用来冷冻一些必要食物。其他的你可以根据自己的喜好去买,但是我不太建议买像锅、煤气炉之类的,基本上在我推荐的一日三餐当中很少用得到。

2. 你的食物

可以尽量多吃的食物

　　(1)当地、当季、盛产的水果、蔬菜。这些水果蔬菜有个共同特点就是比较便宜,而且到处都可以买到。

　　(2)蔬菜以根、茎、花、果四大类为主。举例:

　　根——红萝卜、白萝卜、山药、牛蒡等。

　　茎——西洋芹、明日叶等。

　　花——西兰花、包心菜等。

　　果——南瓜、小黄瓜、苦瓜、青椒、番茄等。

　　(3)各种豆类、黑米、小米等。

我们的祖先,虽然也摄入糖分,但是他们食用的是天然的糖分,
并没有食用任何精糖。精糖的摄入会带走人体许多养分,
并造成各种营养成分之间的紊乱。

我们的祖先以五谷为食,而祖先所食五谷,源自天然,营养成分充足,是良好的食物。而今天我们所食五谷大多为精制食物,除碳水化合物几乎不含任何营养成分,对人体来说便是一种毒物。

可以吃的食物

(1)冷压橄榄油。

(2)没有精制的原味坚果类、核桃、杏仁、芝麻、花生等。

(3)未经污染的鱼类、肉类。

不建议食用的食物

(1)除非你在农村,自家出产,否则不建议吃牛奶、肉类、鸡蛋。虽然这些都是好东西,但是这些食物里含有太多的激素、抗生素等物质。等到国内哪天食品安全过关了,我们再考虑吃这些东西。

(2)油盐酱醋。这些调味品,很多人离开它们就好像活不下去一样。但是假如你想健康一点,尽量适量食用这些调味品。至于它们有哪些害处,到处都可以看到类似的文字,这里就不再陈述。

(3)垃圾食品。所谓垃圾食品,除了油炸品、精制品之外,我们必须将那些摆在超市里面可以放很久的食品都称为垃圾食品。保质期越长,越垃圾。细菌是最不挑食的生物,它们都不吃的东西,你想想,你吃下去会有什么后果?

3. 进食方法

早餐吃法

(1)各种豆类(尽量包括五种颜色)各抓一把,加少量黑米或小米煮熟。煮熟的豆类、几个坚果、一勺蛋白质粉放到搅拌机里面搅成流质喝下。民间也非常流行一种称为十谷粥的保健粥,该粥的主要原料也是十种各种颜色的五谷杂粮,将原料放在一起熬粥。这种吃法也是一个非常不错的选择,建议可以尝试。

(2)两份水果,如一个苹果、一根香蕉或其他自己喜欢的水果,两份蔬菜。水果和蔬菜可以做成蔬果沙拉,但是不要使用沙拉油,用橄榄油和流质的豆粉,便会非常美味。

(3)一颗复合营养素片(营养素和蛋白质粉可以根据各自的条件选择使用)。

假如你怕麻烦的话,可以将所有的东西都放到搅拌机,搅成流质后喝下。早上喝流质的东西对于便秘的人群有非常显著的效果,同时对于匆忙的上班一族和赶去学校上课的学生也是非常好的选择。对老年人来说更是一个明智的做法,当牙齿咬不动食物时,让搅拌机代劳何乐不为呢。

中餐的吃法

(1) 南瓜、马铃薯、芋头或其他根茎类蔬菜各任选两种蒸熟吃。

(2)一份水果。

(3)两份叶类蔬菜。

(4) 五谷饭一份 (黑米、红米、小米、糙米、薏米各一小把加橄榄油混合蒸熟)。

(5)一小份肉汤。

假如你一日三餐无法离开米面,那么起码不应选取精制的米面,而应选用粗粮、粗制米面。这样对你的身体来说会是一个不错的选择。

我们的肚子里填满了精制的米面,不觉得饥饿,但这些空热量与我们身体所需要的材料相差太远,所以我们的身体会材料不足。

晚餐吃法

(1) 两份地瓜或芋头等高纤维食物。

(2)一份早餐豆糊(口味可以根据喜好更换)。

(3)两份水果。

(4)一份叶类蔬菜。

(5)一颗备选营养素。

注:水果与蔬菜均需生食、完整地摄食(连皮吃)。

这样的三餐吃法是非常适合上班族的,现在大部分的上班族中午和晚上都不喜欢在家吃饭,但是假如按照上述方案的话,基本上一天的饭菜可以在前一天晚上全部准备好,上班时只需带去公司就可以了。另外三餐的口味可以根据自己的口味和喜好去搭配,只需要记住下列原则就可以了:

(1) 早餐尽量进食流质食物,并且含有足够的蛋白质来源。

(2)中餐主要保证足够的碳水化合物和膳食纤维来源。

(3)晚餐主要保证足够的膳食纤维和蛋白质来源。

按照上述三个原则去制定你的一日三餐,一定可以吃得健康又美味。

S 计划:22:30

晚上 22:30 你通常在干什么?大部分人应该还在看电视或者在上网,有些可能正准备出去过精彩的夜生活,但是很少人在这个时候准备上床睡觉的。

其实这个时候你该准备睡觉了。无论是我们的老祖宗中医还是西方医学的研究结果都表明，你必须在晚上 23 点钟之前入睡，而 22:30 刚好是你需要做准备工作的时候。

自然界都有一定的规律和法则，比如民间提倡的春生、夏耕、秋收、冬藏，又如一年 365 天，每天 24 小时的节律，都向我们展示着自然的法则，时间的节律。人体也存在自己的节律，国外的学者经过多年的研究发现，人体 24 小时存在身心状态的变化规律，每个时间段都有特殊的生理现象。晚上的 9 点到凌晨的 3 点，这段时间是人体自身修补的时间。晚上 9 点到 11 点是免疫系统运作时间，特别是小孩子的免疫系统还没有健全，所以一般建议小孩子在晚上 9 点之前上床睡觉。晚上 11 点到凌晨 1 点，这段时间是骨髓造血的时间。凌晨 1 点到凌晨 3 点是肝脏修复的时间。凌晨 3 点到凌晨 5 点是呼吸系统运作的时间。5 点到 7 点时大肠蠕动最快，是吃早餐的最佳时间。7 点到 9 点是胃功能最活跃的时候。9 点到 11 点是脾脏最活跃的时间。11 点到下午 1 点，又是身体造血的时间。下午 1 点到 3 点是小肠最活跃的时候。下午 3 点到 5 点是膀胱最活跃的时候。下午 5 点到 7 点是肾脏最活跃的时候。晚上 7 点到 9 点是心脏和神经系统最活跃的时候。

很显然在晚上 9 点到凌晨 3 点是睡眠的最好时机，这时的睡眠才能保证你工作了一天的身体得到及时的修复。

有的朋友，不断地埋怨说吃营养素没有效果或者说执行膳食计划没有效果。当我问他几点睡觉时，要么在凌晨两点要么在凌晨三点。你说怎么会有效果呢？你的身体根本就没有机会去利用养分来

绳锯木断，水滴石穿！精米面对健康的威胁并不是来自某一顿饭，而是我们每天都在吃，而且几乎每天都在多次吃。

> 脂肪是人体所必需的营养成分之一，但脂肪有好坏之分。
> 坏的脂肪进入人体就像伪劣的材料运用到建筑工地，
> 为身体构建出伪劣的细胞,进而影响身体的健康。

修复,又怎么会有效果呢？就好像车突然出故障,但是你又不肯停下来,又怎么可能把车修好呢？有谁见过车子一边跑一边维修的？

C计划:定期清洁

我们的身体每天时时刻刻都在清理体内垃圾。但是我们正常的排毒通道可能早已被淹没。环境污染、农药残留、防腐剂、食物中的营养大量减少、药物的使用留下的毒素,都给我们的排毒通道带来严重的影响。我们必须采取行动才能保证将毒素完全排出体外。

每周清洁计划

除了养成每天喝够2000毫升活性水的习惯之外，每周1~2天时间,早上起来空腹服用400毫升溶解2~3包水解钙离子粉的水。水解钙离子除了可以中和人体过多酸毒、维持血液干净具有排毒的功效之外,还具有调节神经、减轻疼痛、激发细胞活力、促进伤口愈合等功效。

每月清洁计划

每个月抽出5~7天只喝果蔬汁和部分营养素的方法,来达到清除体内毒素的效果。方法如下：

取胡萝卜、西芹、黄瓜三种蔬菜榨汁,每天喝6000毫升果蔬汁。另外每天必须添加2勺蛋白质粉,两颗复合营养素片作为补偿。果蔬汁缓慢地喝下,切忌整杯一口气喝下。小孩、孕妇及有特殊疾病的人,请在咨询专业人士方可使用本方法。

联合清洁计划(Whole Body Cleanse):49 天的奇迹

所谓的联合清洁计划是对全身积累毒素的一种清除,这种清洁办法可以适用各种慢性疾病的患者或者在专业人士的指导下作为亚健康人群排出体内毒素、改善健康状况的方法。这个计划完全实施大约需要 49 天时间。

第一周执行方案

(一)Whole Body Cleanse 套餐用法

　　纤维素片(Fiber):早晚各四粒

　　牛奶蓟(Super milk thistle):晚上一粒

　　肠道清(Laxative Formula):晚上三粒

(二)营养素补充

　　蛋白粉:每天早晚各一勺

　　综合营养补充剂(Max Vitamins):早中晚各一粒

　　抗氧化组合(Super 10 Antioxidant):早晚各一粒

　　深海鱼油:早中晚各三粒

(三)果蔬汁使用

　　胡萝卜:青瓜:牛蒡:西芹=2:2:1:1

　　每天 3000 毫升果蔬汁

第二周执行方案

(一)Whole Body Cleanse 套餐用法

　　纤维素片(Fiber):早晚各四粒

身体之所以会材料不足,很大程度是因为我们以为吃了足够的东西,但却是吃了很多身体并不需要的垃圾。

　　牛奶蓟(Super milk thistle):早上一粒,晚上两粒

　　肠道清(Laxativ Formula):晚上两粒

(二)营养素补充

　　蛋白粉:每天早中晚各一勺

　　综合营养补充剂(Max Vitamins):早中晚各一粒

　　抗氧化组合(Super 10 Antioxidant):早晚各一粒

　　鱼油:早中晚各三粒

　　B 族维生素,50 毫克:早中晚各一粒

　　维生素 C,500 毫克:早中晚各一粒

(三)果蔬汁使用

　　胡萝卜:青瓜:牛蒡:西芹=2:2:1:1

　　每天 3000 毫升果蔬汁

第三周执行方案

(一)特别补充

　　叶绿素提取物(Chlorophyl):早中晚各一片

　　紫锥花提取物:早中晚各两片

(二)营养素补充

　　蛋白粉:每天早中晚各一勺

　　综合营养补充剂(Max Vitamins):早中晚各一粒

　　抗氧化组合(Super 10 Antioxidant):早中晚各一粒

　　鱼油:早中晚各三粒

　　B 族维生素,50 毫克:早中晚各一粒

　　维生素 C,500 毫克:早中晚各一粒

(三)日常饮食建议

　　1. 起床温水冲两包钙粉空腹喝下。

　　2. 早餐:5 份豆类+1 份水果+1 勺橄榄油+营养素。

　　3. 禁:精米面、多油、多调味品、垃圾食品。

　　4. 宜:蔬菜水果、粗粮、清淡饮食。

　　第四周以后的执行方案必须根据前三周身体反应来制定方案,总的原则是三周过后,清洁计划向修复方向靠拢,方案的制定亦以这个方向为制定。

关于 MSC 计划

　　MSC 计划的循环执行, 基本可以保证为人体基因的表达营造一个有利的环境, 同时断绝疾病产生材料不足和毒素积累的两个根源。健康的点滴来源于生活的点滴,同时也来源于时间的积累,健康在你不断地积累有利于健康的小事时,便开始离你越来越近。假如你是一位关心自己及家人健康的人, 请循环执行 MSC 计划,更多的是良好生活习惯的重新培养。读者可以选择适合自己的方式来执行这些计划。目的并非要你一成不变地照搬,而是让这里面的原则来指导自己日常的生活,多查阅类似的书籍,丰富 MSC 计划的内容, 从而在不断摸索中得到更适合自己及家人的 MSC 计划。

许多事情我们无法要求完美。关于食物的选择,我们不能祈求吃进肚子的东西都是对身体有利的, 但是我们起码要保证吃进去的东西是有利的多于不利的,吃进去的东西能够提供身体所需要的材料多于提供给身体的毒素。

第四部分
疾病与康复

　　大部分的人，习惯于用传统的思维习惯来看待疾病和健康，除了本书前面提到的 MSC 基本保健计划之外，下面将对一些常见的疾病(其实大部分是疾病发展到组织受损阶段呈现出来的各种表现)做一些建议及剖析，希望能将读者带进健康之门。在开始解析之前，先做几个说明。

病人往右

第一章　关于营养补充品

　　当疾病发展到组织局部受损这个阶段，也就是医学上命名的各种疾病,此时如果想要逆转到健康状态,必须选用营养补充品作为辅助。这里有两个原因:第一,食物中的营养供应无法满足逆转疾病状态所需,我们的食物生长在越来越贫瘠的土地上,再加上有些食品的处理大大减少了我们食物中所含的营养,这样我们单纯依靠食物已经很难保证获得足够的营养。第二,在疾病状态,人体本身对营养素的需求增加,对付疾病所产生的压力几乎耗尽了身体内部现有的营养素。因此食物中营养成分的减少和人体对营养素的需求上升两种情况的存在,我们必须选用合适的营养补充品来支持身体恢复健康。目前中国营养补充品的市场规范化还不健全,所以在使用营养补充品的过程中要注意下面几点:

　　1. 选用高品质的天然营养补充品

　　2. 注意各种营养补充品之间的协同作用

一、天然提取 VS 化学合成

　　目前市面上的大多数营养补充品都是化学合成的。这些化学合成的营养素与天然的营养素相比有着根本的不同。同样是维生素C,天然提取的和化学合成的是否存在很大的区别？这个问题是作

人体所需的材料, 就是构成人体的基本营养成分和各种有益于身体的因子,这些材料就像建造楼房所需的沙石、钢筋、水泥,是人体赖以保持健康的先决因素。

为使用者在选用营养素时首先要考虑的问题。这里不单纯考虑价格的问题，更重要的是你打算要放进口中的东西是否真的对你的身体有益。关于营养素天然和合成的问题，在逻辑上类似于真花和假花的问题，任何人类合成技术永远都无法与自然界的造物能力相比，我们可以通过技术将自然的成分提取出来，但是无法制造与天然成分一样的物质。

从功效上来看，天然成分的营养补充品比化学合成的补充品更有效。例如，天然的维生素 E 的效力比化学合成的维生素 E 要高36%。对于营养补充品来说，生物利用度决定效率，化学合成的营养补充品的生物利用度低，意味着它们是以身体不易吸收或利用的形成出现，所以效率低。另外需要注意的是，化学合成的营养补充

品与药物性质一样,身体在利用的过程中将产生较大的副作用,增加肝脏、肾脏的负担,长期大剂量使用将给身体带来严重的损伤,同时化学合成的营养补充品本身又是一个反营养剂。例如人工合成的 β-胡萝卜素的使用会引起体内其他类胡萝卜素的缺乏。

市场上营养补充品有很多不同档次的质量和价格,我们不能单纯以价格为标准来进行选择。因为不同的厂家生产的工艺流程不同,原材料不同,质量也随之不同,因此会产生价格上的差异。消费者需要慎重地选择可靠的具有良好生产操作的厂家是非常重要的。

另外,本书所提出的剂量基于天然提取营养素的剂量来设定的,如果选用化学合成的营养补充品,请重新敲定。

二、没有神奇药丸可以医治百病

在营养补充品的选用过程中,我们不能期待只使用某种特定的营养素就可以恢复健康。营养素不像药物那样具有特殊的针对性,在运用营养素对抗疾病的过程中,必须让各种营养素联合作用,一些营养素离开了它们的伙伴便无法发挥作用。例如体内的维生素 B_6 只有转化成为吡哆醛-5-磷酸盐才能起到其生理作用,这个转化过程需要含锌的酶的介入才能完成,所以假如体内锌元素缺乏的话,即使服用再多的维生素 B_6 也不会看到预期的效果。所以在使用营养素时,必须考虑全面地摄取身体所需的养分,而不宜单独补充单一的营养素,没有任何一种营养素可以神奇到可以单独发挥作用。

毒素的积累是生命的必然结果,正常的生理反应都会产生毒素,就像一根火柴燃烧之后,除了光和热,还留下一堆灰烬。

第二章 关于康复的建议

必须要说明一点，在后面篇章所提到的康复建议所起到的目的是提供一个适合用于相应疾病的建议框架和康复的原则，并非提供适合任何人在任何情况下使用的建议。由于基因不同引起个体的差异，每个人在恢复健康过程中所需要的营养素的种类和分量是不同的，而且康复是一个平衡不断打破的过程，每个平衡的打破后所需要的营养素的种类和分量也是需要做相应的调整的。同时每个人身上所患的疾病并非单一的，可能同时具有多种疾病，出现这样的情况时必须根据患者当时的身体状态来制定合适的康复建议。我们不能像麦当劳一样将所有的食物做成套餐，卖给不同的人群。就像一个尺码的鞋子不会适合所有人一样，没有一个康复的建议会适合所有人。

美国的生物化学家罗杰·威廉姆斯，用具有相似基因调节下繁殖的动物做试验。按照预测，因为具有相似的基因，这些动物对营养素的需求应该是相似的。但是试验结果表明，有些动物对维生素 A 的需求居然会比其他一起试验的动物高出 40 倍之多。威廉姆斯在另外一项关于人类钙的需求研究中也发现，年轻的男人对钙的需求也可以相差 6 倍之多，我们可以看到人类对营养素的需求也确实存在差异。所以，就对营养素的需求来讲，不可能存在相同需求的情况。

限于篇幅，本书不详细介绍如何根据个体的差异和判断不同的生理状态来进行方案调整，但是有需要的朋友可以自己阅读相关的书籍。

一、急性上呼吸道感染

【临床概述】

上呼吸道感染是鼻腔、咽、或喉部炎症的总称。常见病原体为病毒，仅少数由细菌引起。包括普通感冒、流行性感冒、急性病毒性咽炎、扁桃体炎、过敏性鼻炎。

【病理现象】

鼻腔和喉黏膜充血、水肿，上皮细胞破坏，少量单核细胞浸润，有较多量浆液性及黏液性炎性渗出。继发细菌感染后，有中性粒细胞浸润和脓性分泌物。

【病理解析】

人体抵抗力下降，病毒入侵，人体免疫力反击。鼻腔充血、黏膜充血、水肿，单核细胞、中性粒细胞浸润是免疫力调集军队抵御病毒入侵的表现。浆液性、黏液性、炎性、脓性分泌物的出现是人体打扫战场，排出毒素的行为。

有水溶性和脂溶性两种类型的毒素。
这两种类型的毒素具有不同的排毒通道。健康的身体将通过各种通道排出停留在身体的毒素，保证排毒通道的畅通是保持健康的重要环节。

毒素积累的部位有关节、皮肤、黏膜等，不同类型的毒素将停留在这些部位，造成该部位的病变。

【新视角】

1. 西方现代医学将本病的病因归结为外部因素，比如病毒、细菌感染，受凉、淋雨等。虽然提到了机体防御能力下降，但是并没有将注意力集中在人体防御能力下降这个内部因素上。我们知道空气中到处都是病毒细菌，有些人会患病，而有些不会，区别在于个人身体的防御能力的强与弱。在本病的康复建议中，我们主要采用支持身体免疫力提升的方案，提供足量的材料来支持身体的免疫力，从而完成康复的过程。

2. 该病的传统解决办法主要有卧床休息、解热镇痛、抗鼻塞、抗过敏、镇咳、抗病毒治疗等。除了卧床休息之外，解热镇痛、抗鼻塞、抗过敏、镇咳方案的使用是我们上文讨论的"抑制症状"的治疗策略，这类的药物主要有阿司匹林、盐酸伪麻黄碱、

氯雷他定、喷托维林等,这些药物的使用有可能造成心脏、肝脏、肾脏功能的不同程度损伤,同时使人体无法及时排放对身体有害的物质。抗病毒治疗属于"借兵打仗"的策略,这类药物主要是抗生素类药物,除了其药物标明的副作用外,长期使用,将使人体的抵抗力低下。所以如非紧急状况,请慎用药物。

【康复建议】

1. 卧床休息:减少能量支出,集中火力对抗外源入侵物。

2. 禁止进食任何固体食物,包括精制米、面、肉类等:减少消化系统消耗的能量,集中精力对抗外源入侵物。

3. 喝大量果蔬汁 800~1000 毫升:补充水分,同时补充大量的维生素、矿物质等基础营养素,为人体战争提供足量的粮草。

4. 补充天然蛋白质粉 6~8 勺:蛋白质是免疫力抗体、细胞修复的主要材料。

5. 补充 1000 毫克天然维生素 C:刺激免疫系统,增强机体免疫力。

6. 补充 15000 国际单位天然类胡萝卜素:加快呼吸道黏膜细胞修复,同时加速战争残留毒素的排放,缩短炎症期。

7. 适当补充刺激免疫系统的天然草药萃取物,如紫锥花(紫锥花是一种野花,含有咖啡酸、菊苣酸及紫锥花素,是一种免疫刺激物,可增加身体免疫蛋白质的浓度,可帮助身体有效防卫自己。其提取物可有效对抗普通感冒和流行感冒)提取物、大蒜素等。

人体在清除毒素的过程中,将使毒素积累部位发生疼痛或溃疡等生理反应,这些反应是正常的康复反应,不宜采用抑制措施。

食物是天使和恶魔的集合化身,在带给人体材料的同时也将带给人体毒素,判断食物的好坏,不是看它是否有毒素,而是材料多于毒素时,这个食物便是一个可取的食物。

【康复预测】

上呼吸道感染,一般可以在 1~1.5 周康复。在康复过程中将出现发烧、咳嗽等症状,这些症状是人体对抗伤害的反应。当症状不那么剧烈时可以适度将营养素的补充量减半,直至完全康复。

二、慢性支气管炎

【临床概述】

慢性支气管炎是指气管炎、支气管黏膜及其周围组织的慢性非特异性炎症。临床上以咳嗽、咳痰或伴有喘息以及反复发作的慢性过程为特征。病情若缓慢进展,常并发阻塞性肺气肿,甚至肺动脉高压、肺源性心脏病。

【病理现象】

早期表现为上皮细胞的纤毛发生粘连、倒伏、脱失,上皮细胞空泡变性、坏死、增生和鳞状上皮化生;杯状细胞增多和黏液腺肥大和增生,分泌旺盛,大量液体潴留;黏膜和黏膜下层充血,浆细胞、淋巴细胞浸润及轻度纤维增生。急性发作时可见大量中性粒细胞浸润及黏膜上皮细胞坏死、脱落。病情较重而病情较久者,炎症由支气管向周围组织扩散,黏膜下层平滑肌束断裂和萎缩。病变发展至晚期,黏膜有萎缩性病变,支气管周围组织增生,支气管中的软骨片可发生不同程度萎缩性病变,造成管腔僵硬或塌陷。病变蔓延至细支气管和肺泡壁,形成肺组织结构破坏或纤维组织增生。

【病理解析】

整个病理发展的过程,从另一个角度看就是,战争发生时,敌人步步逼进,肌体苦苦支撑但却得不到有力的支持,缺乏"粮草",最终溃败的过程。该病早期的表现无论是杯状细胞增多、黏液腺肥大和增生还是黏膜和黏膜下层充血等这些组织都是人体免疫系统在对抗外源伤害的武器,是免疫系统工作的表现。但是当外界的伤害因素不被祛除时,免疫系统处于高度工作状态,此时如果不及时提供战争所需要的材料和细胞生长需要的材料,那么此时支气管组织便会出现组织坏死、组织纤维化等现象,假如伤害情况一直得不到解决,最终导致的便是心肺方面的疾病。

支气管是空气进入人体的必经之道,当支气管长期受到攻击得不到缓解时,人体为了保证机体正常运行所需要的养分,必然会调节肺部工作节律,肺部工作负荷增大,肺气肿便有可能发生。假如病情继续恶化,机体得不到足够的氧气,机体将调节血液循环速度,让其携氧数量增加,以保证机体运行养分充足,这样的调整将加重心脏负荷,同时对血压的稳定也有影响。

这个过程是慢性支气管炎最终演变成肺心疾病的过程。所以外源刺激的解除及机体所需营养物质的足量提供是解决问题的关键。

【新视角】

慢性支气管炎在医学上是涉及因素比较多的一种疾病,传统的医学认为该病的发生与吸烟、大气污染、病毒或细菌感染、气候寒

不要问是否存在完美的食物,对人体来说假如寻求完美食物的话,跟人体成分完全一致的食物便是相对完美的,但是这种食物不太可能存在,除非是人类本身。除了人类,我们可以通过摄取多种食物来弥补自然界食物的缺陷。

冷、过敏有关，但病因较复杂，迄今尚未明了。治疗方案的选择同样无法跳出思维局限，采取防治结合的综合措施，目的在于消除症状，防止肺功能损伤，促进康复。在急性发作期和慢性迁延期应以抗生素控制感染和祛痰、止咳为主；伴发喘息时，应予解痉平喘治疗。在缓解期以加强锻炼、增强体质、提高机体抵抗力、预防复发为主。传统的医疗手段除了"抑制症状"就是依靠"借兵"。抗生素和止咳等药物的应用，"目的在于消除症状"，我们知道，消除症状并不是康复的标志，症状的一时控制，造成康复的假象，人们通常会松口气，但轻敌将引发不可逆转的伤害。

【康复建议】

1. 喝大量果蔬汁 600~800 毫升：补充水分，同时补充大量的维生素、矿物质等基础营养素，为人体战争提供足量的粮草。

2. 补充天然蛋白质粉 3~6 勺：蛋白质是免疫力抗体、细胞修复的主要材料。

3. 补充 1000 毫克天然维生素 C：刺激免疫系统，增强机体免疫力。

4. 补充 15000 国际单位天然类胡萝卜素：加快呼吸道黏膜细胞修复，同时加速战争残留毒素的排放，缩短炎症期。

5. 补充 25~50 毫克天然复合 B 族维生素：激活细胞修复所需要的酶，并参与蛋白质的利用。

6. 补充 400~800 国际单位天然维生素 E：加快疤痕组织的愈合，改善呼吸系统。

7. 补充 50 毫克锌锭；增强免疫力，促进组织修复。

8. 适当补充刺激免疫系统的天然草药萃取物，如紫锥花提取物、大蒜素等。这些增补剂可在初期使用，可以加快康复的进程，但在康复后期，组织修复为主时，使用的意义便不大。

9. 在康复过程中，尽量避免伤害源的持续存在。可每天做深呼吸 30 分钟，减轻肺部、心脏的供氧压力。同时饮食尽量以流质食物为主。

【康复预测】

病程长，病情重的患者在康复过程中，可能会出现咳嗽加重、咳痰增多、胸痛，甚至出现咳血的康复反应。慢性支气管炎的患者，在调养时按照康复建议同时循环执行 MSC 健康计划，一般在开始的 1~2 个月会出现一些不舒服的反应，这个时期是平衡重新被打破的时期，是康复反应的前奏。这段时期过后病情会趋于平稳，进入修复期，呼吸系统的修复期时间的长短因人而异，比较多的是 3~5 个月左右，因此整个康复期大约需要 4~7 个月的时间。也有一部分患者的康复反应和修复是交叉在一起，整个康复过程中都会周期性地出现康复反应，而康复过程所需时间也普遍为 4~7 个月。

药物在人们的日常生活中作用不容忽视，但是却很少人能够正确地使用药物。

三、哮喘

【临床概述】

哮喘是气道的一种慢性过敏反应炎症性疾病。它是由嗜酸性粒细胞、肥大细胞、T淋巴细胞等炎症细胞、气道上皮细胞和细胞组分参与的气道慢性过敏反应炎症性疾病。这种气道炎症导致高反应性的增加和广泛、易变的可逆性气流受限，表现为反复发作性喘息、胸闷和咳嗽症状。

【病因】

哮喘的发病机制十分复杂，许多因素参与其中。目前有"过敏反应学说"、"气道炎症学说"、"神经受体失衡学说" 等来解释哮喘的发病机制。

【病理现象】

气道内以嗜酸性粒细胞浸润为主的过敏性反应炎症是哮喘的主要病理特征。早期表现为支气管黏膜肿胀、充血、分泌物增多，气道内炎症细胞浸润、气道平滑肌痉挛等可逆性的病理改变，在病情缓解后基本恢复正常。但当哮喘发作后，支气管呈现慢性炎症性改变，表现为柱状上皮细胞纤毛倒伏、脱落，上皮细胞坏死，黏膜上皮层状细胞增多，支气管黏膜层大量炎症细胞浸润、黏膜腺增生、基底膜增生、支气管平滑肌增生。由于支气管壁增厚，支气管内形成黏液栓，通气功能明显降低。

哮喘病程越长,气道阻塞的可逆性越小,以呼气期为主的通气功能障碍,可导致肺泡内气体滞留。不可逆性通气功能障碍使肺泡长期过度膨胀,弹性降低,形成阻塞性肺气肿,甚至肺源性心脏病。

【病理解析】

哮喘病,在早期的反应其实与其他类型的呼吸道感染引发的疾病没有本质的区别,只是参与免疫战争的兵种不一样而已,嗜酸性粒细胞同样是免疫大军中的一员。

哮喘的发展,根本的原因在于身体得不到足够的供给来彻底清除引起过敏的外源物质,同时也得不到足够的物质来对受损部位进行修复。所以在病程不断拉长的情况下,引发的问题便更加严重。

【新视角】

康复就像一场战争,而战争就有胜负。哮喘病程长的病人,在康复过程中确实需要经历一种生死一线的战争,胜利了便康复了。

我们无法去预测战争的结果,因为有太多的因素影响着战局的发展,病人的因素、家属的因素、气候的因素、饮食的因素等等,只要其中任何一个出现问题,便可能出现很不乐观的后果。但是缘于对生命的热爱,我们不应放弃任何胜利的机会!

1. 现代医学对于哮喘的病因描述是非常模糊的,因为在哮喘这种病当中有很多生理反应,人体内的许多因子如组胺、白三烯、血小板活化因子、嗜酸性粒细胞、淋巴细胞等参与到这个过程中,多重现象叠加在一起而使情况变得好像非常复杂。因此也有不同

药物不宜长期使用,它是人体毒素积累的一条重要途径。

的假说试图阐述哮喘的病因。但是这些所谓的病因大部分只是在病情发展过程中所表现出来的生理现象。换句话说,这种病因的描述可能并没有真正把握正确的方向,把注意力放错地方了。按照病理上的解析,我们可以看到,哮喘主要是由于人体受外源物质刺激,免疫系统做出反应过程中引发的一系列反应使身体产生不适。这个过程有免疫系统发动战争、有免疫系统清扫战场,但是当人体得不到足够的后备(材料)供给时,战争便持续不停,而毒素物质的排放总是无法完成。持续下去,在气道中便发生一些生理上的增生及肥大,影响正常的气体流通。

2. 治疗方案所采取的策略都属于"抑制症状"。西方现代医学对哮喘的无奈,体现在"多数哮喘病人通过合理使用现有的防治药物,可以使哮喘病情得到良好控制和完全控制"。只是"控制"而已。定位于"控制"症状,自然无法"治愈",所以大多数哮喘病人,都被告诉要终生用药。

3. 哮喘的药物,例如 β 肾上腺素受体激动剂、茶碱(黄嘌呤)类药物、抗胆碱药物、糖皮质激素、白三烯调节剂,这些药物大多都是针对降低哮喘各种因子的指标而研发的,特别是激素类药物,更是为了调节这些炎症因子或免疫因子在血液中的浓度而开发的。例如 β 肾上腺素受体激动剂属于拟肾上腺素药物,这类药物具有极强的支气管舒张作用,平喘作用迅速,但使用可引起部分人头痛、头晕、心悸、手指颤抖等副作用,用药一段时间后,将出现耐受。对于这些药物的种种副作用,这里不一一列举,有兴趣的朋友只需要翻开这些药物的使用说明便可了解到这方面的信息。

【康复建议】

1. 补充天然蛋白质粉 6 勺：蛋白质是免疫力抗体、细胞修复的主要材料。

2. 补充 1000 毫克天然维生素 C：刺激免疫系统，增强机体免疫力。

3. 补充 15000 国际单位天然类胡萝卜素：加快呼吸道黏膜细胞修复，同时加速战争残留毒素的排放，缩短炎症期。

4. 补充 25~50 毫克天然复合 B 族维生素：激活细胞修复所需要的酶，并参与蛋白质的利用。

5. 补充 400~800 国际单位天然维生素 E：加快疤痕组织的愈合，改善呼吸系统。

6. 补充 50 毫克锌锭：增强免疫力，促进组织修复。

7. 补充 1000 毫克水解钙：舒缓平滑肌痉挛。

8. 补充 100 毫克辅酶 Q10：提高心肺氧气利用效率，加速炎症消除。

9. 每个月利用 3~7 天只摄入 600~800 毫升的果蔬汁，有利于身体加快毒素的清除速度。

【康复预测】

多数哮喘病人在康复过程中需要度过一个严重呼吸困难的关卡，出现这种情况时可以在专业人士的指导下使用水解钙离子进行缓解。调节过程中咳嗽、喘息、胸痛的症状会不时出现。哮喘患者，在调养时按照康复建议同时循环执行 MSC 健康计划，一般在开始的 3 个月会出现一些不舒服的反应，这个时期是平衡重新被打破的时期，是康复反应的前奏。这段时期过后病情会趋于平稳，进入修复期，呼吸系统的修复期时间的长短因人而异，比较多的是 3~5 个月左右，因此整个康复期大约需要 6~8 个月的时间。也有一部分患者的康复反应和修复是交叉在一起，整个康复过程中都会周期性地出现康复反应，而康复过程所需时间也普遍为 6~8 个月。但是哮喘患者，在病情得到控制之后，需要预留一定时间的修养期，以防止病情反复。修养期根据病人的病程来决定，病程越长的患者需要越长的修养期，有的需要花 1~2 年的时间执行修养期的保健计划。

四、呼吸系统综合

呼吸系统的疾病种类繁多，但其共同特点是感染、炎症。

呼吸系统与外界接触的基本上是黏膜组织，当机体免疫力低下时便会在不同部位(咽喉、呼吸道、鼻腔、支气管、肺部等)引发不同的感染，感染发生后机体的免疫力发动对抗战争，因此在感染部位往往出现红肿、肥大、增生、炎症等现象。这些感染不及时处理便演化成各种慢性炎症，慢性炎症发展下去便演化成脓肿、肺癌、肺源心脏病等。

西方现代医学的病理学研究是非常有价值的。但可惜，大部分的人只看到了其中的一些现象，而没有做进一步的分析便开始大量地进行药物和医疗手段的研发，并忽略了这些结论带给我们的真正信号。例如当某个部位出现红肿、肥大，西方现代医学第一时间考虑的是如何将红肿、肥大去掉,由此而采用的治疗方法也多数属于"借兵打仗"、"抑制症状"或两者联合使用。然而,我们第一时间考虑的是红肿、肥大传达给我们的信号是免疫系统工作的表现,那个部位就是战场,我们应该去想办法支持免疫系统。这便是差别,而这点小小的差别,将带给病人两种不同的命运。

呼吸系统的疾病,除了上面提到的之外,还有很多,包括肺炎、肺气肿、肺结核、支气管扩张等。这些疾病康复的总的原则是相通的,而且按照一般原则去执行,基本上都可以得到较好的康复。

1. 补充足量的有益黏膜组织修复的营养素,如类胡萝卜素、番茄红素、维生素 E、各种氨基酸等。

2. 补充足量的支持身体免疫系统工作的营养素,如维生素 C、大蒜素、栎精(又称槲皮素,是一种抗氧化剂,具有良好的祛痰、止咳作用,并且有一定的平喘、降低血压、调血脂等功能)、紫锥花、B 族维生素、各种氨基酸等。

3. 制定一个清除体内毒素的计划,如每个月 3~7 天的果蔬汁疗法、水解钙离子排毒疗法等定期清理体内毒素。

4. 每天坚持 30 分钟以上的深呼吸练习。

5. 每半年最少一次到空气清晰的地方呆一段时间。

6. 戒除吸烟、吃油炸食品等不良生活习惯。

【病例】

林先生,49 岁,年轻时因照顾肺结核的母亲自己也被传染。尝试过各种常规的医疗手段,只能控制病情不发展。他来寻求帮助的

每天用 30 分钟来专注于你的呼吸,身体回馈给你的可能就是 30 年的寿命。

最初目的是改善脂肪肝和日益升高的血压。执行康复建议后的第一个星期开始,他便开始干咳,每天晚上咳得睡不着觉。打电话来咨询,担心肺结核复发,问我是不是需要重新吃结核药。在详细了解他的病症反应之后,判断为康复反应,因此对其方案进行微调,继续执行康复建议。在咳了将近两个星期后停了。接着出现了胸闷,呼吸变得非常不流畅,有了咳嗽的经历后,这次他显得没有那么惊慌,咨询我的建议后,继续执行方案,这种情况大约维持了一个多月,感觉时好时坏,胸部总是不舒服,除了胸闷、呼吸不畅之外,有时还伴随着胸痛。有时感觉难受地想要放弃执行方案,我指出,这个阶段是肺部在清除结核菌及肺部一些钙化组织表现出来的反应,是非常关键的时期,如果中途下车,极有可能引发严重的肺心病变,如果坚持下去也就是一两个月的事。林先生还算是一个有毅力的人,坚持下来,一个月左右,又开始咳嗽,不过这次不是干咳,开始咳出很多痰,各种颜色的都有,偶尔还会咳出一些黑血,这时虽然咳得厉害,但是人已经慢慢地感觉舒服了。几个星期后,咳停了,痰也没有了,我告诉他,身体基本把结核菌和坏死肺组织清除了,接下来肺部会有修复反应,偶尔会伴有胸痛,不过是正常反应,先要有心理准备。这时他总算听得进去我的话了,后来他自己说,开始出现反应的时候,担心得不行,以为病情恶化了,直到吐完痰后心里才开始定下来,开始放心地执行方案。

半年左右,他去体检,做胸透的时候,医生还逗他肺部怎么保养得那么好,一点也不像快50岁的人的肺部。他说,我还得过肺结核呢?这句话把医生吓了一跳,怎么也不相信,林先生把病历给他看完之后，那医生还在纳闷这种事情也能发生，一个得过肺结核的病人的肺部居然能恢复地像 20 多岁的小伙子一样。

林先生的康复经历其实是呼吸系统康复反应的一个典型写照，许多呼吸系统的疾病患者都经历类似的过程，只是时间长短、病情轻重等差别。一个有效的调养方案，在执行过程中一定会使身体出现康复反应，也就是说会在一定程度使身体难受。作为接受调养的人，必须要有勇气去承受这些苦难，最终才能达到身体的健康。以令人舒服为出发点的调养方案，不能从根本上解决健康问题，顶多是对身体进行修修补补，而不是一次彻底地装修。

五、动脉粥样硬化

【临床概述】

动脉粥样硬化是西方发达国家的主要死亡原因。随着我国人民生活水平提高和饮食习惯的改变，该病也成为我国主要死亡原因。动脉粥样硬化始发儿童时期而持续进展，通常在中年或中老年出现临床症状。由于动脉粥样硬化斑块表现为脂质和坏死组织的骤聚，因此往往认为动脉粥样硬化是退行性病变。现在认为，本病变是多因素共同作用的结果，首先是病变处平滑肌细胞、巨噬细胞及 T 淋巴细胞的聚集；其次是包括胶原、弹性纤维及蛋白质多糖等结缔组织基质和平滑肌细胞的增生；第三是脂质，其中主要含胆固醇结晶及游离胆固醇和结缔组织。粥样硬化斑块中脂质及结缔组织的含量决定斑块的稳定性以及是否易导致急性缺血事件发生。

尽情地伸展自己的身体是一个非常不错的运动方式，简单、易操作，而且有效。

每一次心动都伴随着无数的生化反应。心理的变化具有其物质基础，心理的变化将影响健康的变化。

【病理现象】

动脉粥样硬化是累及体循环系统从大型弹力型（如主动脉）到中型弹力型（如心外膜冠状动脉）动脉内膜的疾病。其特征是动脉内膜斑块形成（尽管在严重情况下斑块可以融合）。每个斑块的组成成分不同。脂质是粥样硬化斑的基本成分。内膜增厚严格来说不属于粥样硬化斑块而是血管内膜对机械损伤的一种适应性反应。

【病理解析】

血管内毒素物质的沉积对血管造成伤害，损伤的组织易受到病毒、细菌等物质的攻击，因此免疫系统的淋巴细胞、T细胞将在受损部位结集对病毒细菌进行清除。同时血管的平滑肌细胞（是高弹性、结构致密，不易受攻击的一种细胞）增生是血管自动防御的表现。血管是高负荷工作的器官，每时每刻都需要运送血液等，因此身体是绝对不会让它随便被破坏，加强防御便成了天经地义的事。

如果伤害因素一直存在，这种临时的防御措施便一直存在，久而久之便出现斑块、结缔组织等异常的组织形态，最终导致血管的硬化。

【新视角】

1. 目前使用的降脂类药物及抗血小板类药物主要存在两个问题：第一，阻断正常生理运行所需物质的功能，例如HMG-CoA还原酶在人体中具有重要的生理功能，而HMG-CoA还原酶抑制剂的使用将抑制这种酶执行正常的生理功能。这种药物的使用当然在一定程度上可以减少脂类的聚积，但是同样也会使 HMG-CoA 酶丧失其他生理功能，长期使用将影响机体正常运行。就像火药，它可能会有安全隐患，但它在国防中却是不可缺少的武器。不能因为它可能存在的危害，而下令全国不得生产火药。一个国家如果没有火药，那么整个国防就将出现严重的漏洞，后果不堪设想。第二，这类药物对于肝脏、肾脏功能将造成巨大的伤害，长期使用必然会引发肝脏、肾脏方面的疾病。这点不需要做过多的说明，这些药物的说明书中都会有指出。但是大部分的人只

习惯了看到疗效，而不愿关注药物的副作用。我建议每一个人，在决定使用一种药物时，必须非常认真读懂药物的副作用说明。单纯为了疗效而放弃对身体其他部位的保护是顾此失彼的做法。

2. 在西方现代医学的表述中，本病是属于病因不明的疾病，因此在选择治疗方案时，通常只能选择以缓解和抑制症状为主的医疗策略。其实从功能上来看心血管是运输血液和养分的通道。就像

身体的生化反应就像骨牌效应，一个启动，便牵动着无数的反应。

一条河流,河流干枯通常有几个原因:源水头缺水、水土流失、淤积过多。血管出现问题的原因也无非是毒素过多,血管中的毒素包括过多的饱和脂肪类、过多的单糖、过多的化学物质等,这些物质在血管壁的沉积便是血管硬化的开始,有害物质的不断沉积、机体缺乏足够的能力清除这些毒素,血管不断侵害,但又得不到足够的保护材料进行维修,日久天长便形成了硬化。因此解决的办法从根源开始着手。

【康复建议】

康复的关键在于清除毒素净化血液、支持机体的免疫力、修补受损组织。

1. 补充 100 毫克胆碱:帮助分解脂肪并从体内排出。

2. 补充大蒜卵磷脂合剂:调节脂肪平衡。

3. 补充钙镁合剂 1500 毫克:维持血管壁适当的肌张力。

4. 补充必需脂肪酸:降低血管压力,降低胆固醇水平,保持血管弹性。

5. 补充 800 国际单位天然维生素 E:加快受损血管修复,消除斑块。

6. 补充 15000 国际单位天然类胡萝卜素:清除血管内有害的化学物质及自由基。

7. 补充 1000 毫克天然维生素 C:清除有害物质,加强机体免疫力。

8. 补充 25 毫克天然 B 族维生素:调节糖类、脂肪代谢。

9. 补充 100 毫克辅酶 Q10:保护心脏。

10. 补充天然蛋白质粉 3 勺:帮助受损组织重建。

每个月利用 3~7 天只摄入 600~800 毫升的果蔬汁,有利于身体加快毒素的清除速度。

【康复预测】

在康复过程中,患者血压可能会升高,沉积在大血管中的毒素分解后进入毛细血管会造成部分堵塞,导致血压升高。毒素物质完全分解清除后血压将恢复正常。

另外部分患者可能出现心律异常、脉象异常,胸闷等症状。动脉粥样硬化的患者康复主要有两部分:首先是积累在血管内有害物质的清除,然后是受损血管的修复。一般在 1~2 个月时间可以清除堆积在血管中的各种有害物质,血管的完全修复所需的时间起码要有 6 个月左右的时间。整个康复周期在 7~8 个月左右。

六、高血压

【临床概述】

高血压是一种以体循环动脉压升高为主要特点,多由基因遗传、环境及多种危险因素互相作用所致的全身性疾病。

高血压初期血压呈波动性,血压可暂时性升高,但仍可自行下降和恢复正常。大多数患者起病隐袭,症状不自知或不明显,仅在体检或其他疾病就医时才被发现。有的患者可出现头痛、头晕、心悸、后颈疼痛、后枕部搏动感,还有的表现为神经症,症状如失眠、健忘或记忆力衰退、注意力不集中、耳鸣、情绪易波动或发怒以及神经质等。病程后期心脑肾等器官受损或有并发症出现时,有相应的症状。

【病理现象】

高血压病的主要病理改变是动脉的病变和左心室的肥厚。随病程的发展,心、脑、肾等重要器官均可累及,其结构和功能因此发生不同程度的改变。

【病理解析】

高血压患者左心室的肥厚便是长期增大压力的结果。就像肌肉练习一样,不断地举哑铃,慢慢地肌肉自然就鼓起来了,这便是肥大。

人体组织器官的肥大、增生,都是长期承受某种压力造成的,严格来说并非病变,而是身体为了应对压力而产生的保护措施。

【新视角】

1. 高血压被称为需要终生服药的疾病。西方现代医学采用被动消极的思维来看待疾病的发生,无法找到真正的病因。因此在治疗策略上永远也跳不出那个圈,解决问题没有一个正确的方向,只是为了控制症状而已。解决问题,有时不能只盯着问题本身不放。必须从各方面来考虑问题产生的根源, 这样才能找到最终解决问题的办法。机体对养分需求大量增加或者机体供养效率下降均可以导致高血压。血压的生理功能就是提供血液运行所需要的动力。无论血压调节的生理机制有多复杂,影响因素有哪些,血压的调节最终是为了保证一定的血流速度, 保证机体各组织器官所需的养分。机体对养分的需求大量增加可能的原因是机体一处或多次受到巨大的压力或损伤, 机体需要更多的养分去应对压力和修复受损部位,所以需要血流速度加快,运送更多的养分到受损部位。例如肾脏、肺部的炎症都可以让血压升高。机体血液运送的效率下降,可能的原因是血管毒素堵塞,需要更大的压力才能保持一定的血流速度。例如血黏度过高、血脂高时容易出现高血压。其实道理很简单,就像水管塞住后通常水流就会很小,但如果加大压力的话水流便可以恢复。

2. 高血压的病人,不断地被教育一定要控制好血压,只要血压稍微升高,即使是 90/140 也可以让人恐慌不已。控制血压的初衷也许是为了防止血管破裂所带来的一系列后遗症。大部分的人也许并不清楚,血管的弹性并非像大部分人想象中那么脆弱。大部分人都有"防患于未然"的想法,这点无可厚非。但是采用一种错误的方法"防患于未然"必然导致更严重的结果。大禹治水的故事相信大家都很熟悉,现代医学所推崇的防治高血压的方法,基本上是属于治水中所用的"堵截"方法,并没有"疏导"的策略。结果自然不会理想。大部分的高血压病人在长期服用降压药之后变得睡眠不好、精神不好、食欲不好,最终演变成肾衰竭、心脏衰竭等疾病,这便是采用错误的"防患于未然"的结果。

症状的控制,在某些情况下对身体来说并非好事。

康复的过程,也是平衡被打破的过程。

这个过程通常会产生与生病相似的症状,这些反应称为康复反应。

【康复建议】

高血压的康复关键同样是清除毒素净化血液和组织修复。

1. 补充100毫克胆碱(B族维生素的一种,可乳化脂肪):帮助分解脂肪并从体内排出。

2. 补充大蒜卵磷脂合剂:调节脂肪平衡。

3. 补充钙镁合剂1500毫克:维持血管壁适当的肌张力。

4. 补充必需脂肪酸:降低血管压力,降低胆固醇水平,保持血管弹性。

5. 补充800国际单位天然维生素E:加快受损组织修复,消除斑块。

6. 补充15000国际单位天然类胡萝卜素:清除血管内有害的化学物质及自由基。

7. 补充1000毫克天然维生素C:清除有害物质,加强机体免疫力。

8. 补充25毫克天然B族维生素:调节糖类、脂肪代谢。

9. 补充100毫克辅酶Q10:保护心脏。

10. 补充天然蛋白质粉3勺:帮助受损组织重建。

每个月利用3~7天只摄入600~800毫升的果蔬汁,有利于身体加快毒素的清除的速度。

【康复预测】

高血压患者在康复过程中可能会出现血压在一段时期内升高的现象,甚至会比调节前更高,这除了是机体清除毒素造成的之外，另外是大部分患者长期服药，在逐步停药后,血压也会有升高的现象。

　　除了血压升高外，部分患者可能会出现嗜睡、疲劳等症状,这些是组织器官大面积受损后修复的信号。身体的修复工作必须在睡眠状态下进行。相当于汽车故障维修需要停车熄火才能进行一样，人体也需要在睡眠状态下进行大规模的修整。

　　高血压的康复反应一般集中在前 3 个月，高血压的调整如果在前 3 个月未出现康复反应,多是方案的执行力度不够,有些病程长的病人的方案,需要做些细微的调整。

【病例】

　　汪女士,56 岁，高血压病史 7 年，服降压药控制血压在高压130-140 毫米汞柱，低压 110-100 毫米汞柱,体型偏胖,患有脂肪肝。在逐步停药的过程中，汪女士的血压出现反弹，最高时达到180/130 毫米汞柱。这种状况大约维持了两个星期。虽然血压有升高的情况,但是自我感觉头不晕、人不迷糊,不像以前发病时的感觉。在执行方案 2 个月左右，血压开始稳定下降，停药前恢复到130/100 毫米汞柱。执行方案半年左右,体检脂肪肝指数恢复正常。一年后血压停药维持在 120/90 毫米汞柱,指标恢复正常后,继续监

康复反应的出现,是一种希望,也是一种危机。能正确理解的人经历康复反应之后便能继续坚持直到恢复;不能理解的人,便会在这些反应出现时放弃坚持,放弃坚持也就等于放弃了康复。

控日常生活饮食,血压一直稳定。

七、风湿热

【临床概述】

风湿热通常归为结缔组织和胶原血管疾病,主要表现为胶原纤维及结缔组织基质受损的一种炎症反应,主要侵犯心脏、关节和中枢神经系统等多个脏器。发病前 1~3 周,约半数人先有咽峡炎或扁桃体炎等上呼吸道链球菌感染史。经过 1~3 周临床无症状期后,可出现风湿热症状,起病急骤,有发热、多汗、疲乏及厌食等症状。

主要表现为风湿性心脏炎、游走性多关节炎、舞蹈病、皮肤病变等。

【病理现象】

风湿热病理特征为结缔组织或胶原组织渗出性和增殖性炎症反应, 主要累及关节和心脏,也可侵犯皮肤、皮下组织、脑和浆膜,小血管的广泛血管炎是常见的。其主要病理过程有:①变性渗出期,结缔组织胶原纤维分解,单核细胞浸润及浆液渗出。②增殖期,以阿孝夫(Aschoff)结节为特征,它是风湿性心肌炎的特征性病灶,是风湿热的诊断依据。③硬化期,纤维组织增生,肉芽肿处形成瘢痕,最终形成慢性心瓣膜病。

【病理解析】

风湿热变性渗出期是刺激免疫系统的时期。但当机体得不到足量的养分支持时,这部分组织便无法得到修复,所以最后出现纤维组织增生。这种病理过程使身体无法及时摄取足量支持身体免疫系统作战的结果。

【新视角】

1. 自身免疫疾病有可能是机体自我保护的一种机制,当机体受到免疫系统很难清除或潜伏期很长的物质攻击,机体会牺牲部分组织器官来刺激人体免疫系统分泌更多的抗体、免疫细胞来清除这些外来物质。例如某些细菌如链球菌、病毒如巨细胞病毒、肝炎病毒等,这些病毒潜伏期都非常长或难于被人体清除。

2. 很多人想很轻松地恢复健康,但这是不可能的,体内**无论是组织受损还是组织修复都将带来一些不舒服的症状,也就是所谓的"病"。**

【康复建议】

康复的关键在于提高免疫力、加快受损组织修复及炎症的清除:

1. 补充天然蛋白质粉 9 勺:提高组织修复及免疫系统战斗所需要的材料。

2. 补充 1000~2000 毫克天然的维生素 C:提高免疫力,减少疼痛及肿胀。

3. 补充 15000 国际单位类胡萝卜素:加快清除炎症,抗氧化。

黎明前的黑暗是最黑暗的时候,康复前的不良反应,有可能会比疾病本身更痛苦。

4. 补充 800 国际单位天然维生素 E:加快组织修复,减少瘢痕形成。

5. 补充 500 毫克肉碱:加快胶原组织修复。

6. 补充 100 毫克辅酶 Q10:提高免疫力。

7. 补充 750 毫克钙镁合剂:提高骨关节健康所需要的矿物质

8. 补充 50 毫克锌:提高免疫力,加快组织修复。

9. 适当补充刺激免疫系统的天然草药萃取物,如紫锥花提取物、大蒜素等。

在康复期间可以定期使用水解钙离子排毒方法排出体内的毒素,缩短病程。

【康复预测】

风湿热的康复周期为 1~2 年时间。在康复初期,当补充的营养素及有益物质起作用后,人体可能会持续高烧或间歇性发烧,并伴随关节、皮肤及其他部位的疼痛。发烧是体内清除细菌病毒及炎症的表现。部分患者可能会出现皮肤起斑、发炎等现象,这也是体内清除有害物质的表现。高烧退后身体进入修复受损组织的阶段,这个阶段可能会出现更加剧烈的疼痛感。

八、心肌炎

【临床概述】

心肌炎是指病原微生物或物理化学因素引起的以心肌细胞坏

死和间质炎性细胞浸润为主要表现的心肌炎症性疾病。炎症可累及心肌细胞、间质及血管成分、心瓣膜、心包,最后导致整个心脏结构损伤。

病毒性心肌炎是指嗜心肌病毒感染引起的以心肌非特异性间质性炎症为主要病变的心肌炎。

【病理现象】

病毒性心肌炎的病理变化缺乏特异性,以心肌损伤为主的心肌炎表现为心肌细胞溶解、坏死、变性和肿胀等;以间质损害为主的心肌炎表现为心肌纤维之间和血管周围结缔组织中炎性细胞浸润。

【病理解析】

在病理上表现出的心肌细胞溶解、变性、肿胀,依然是机体免疫力工作及自我防御的表现。这是身体得不到足够的材料时,采取的一种被动的防御措施。

【康复建议】

1. 补充 100 毫克辅酶 Q10:增加心肌组织的氧结合能力。

2. 补充 1500 毫克钙镁合剂:维护心肌的正常功能。

3. 补充 400~800 国际单位天然维生素 E:增强免疫力,修复心肌细胞、清除有害的化学物质。

4. 补充 2000 毫克天然维生素 C:增强免疫力、清除有害化学物质。

康复与其说是身体在受煎熬,不如说是你的思想和意志在受到考验。

5. 补充 100 毫克天然 B 族维生素:加强心肌细胞功能、调节肝脏的解毒能力。

6. 补充 15000 国际单位类胡萝卜素:加快清除炎症,抗氧化。

7．适当补充刺激免疫系统的天然草药萃取物,如紫锥花提取物、大蒜素等。

【康复预测】

心肌炎的康复周期约 6~12 个月。在康复过程中将出现高烧、胸闷、心悸、胸痛等症状,这些症状可能会反复出现直到完全康复。这些症状都是身体对抗病毒、修复组织的反映。

九、心血管综合

心血管系统在人体承担的主要功能便是运输养分、运输免疫物质、运送废物等,属于交通部门。构成心血管系统的细胞都是弹性、韧性、结构致密的细胞,不容易受到攻击破坏。心血管系统出现的问题主要是由于:

1. 人体废物运输不流畅,比如胆固醇、脂类堆积造成的动脉粥样硬化、心脏病、高血压等。

2. 其他器官病变使心脏调整运输节律而出现的心律异常等。

3. 血液中有害化学物质过多,侵蚀心血管细胞,而使外源细菌病毒有机可乘,导致心肌炎、风湿热等。

因此心血管疾病康复的关键是净化血液和细胞修复:

1. 补充足量的有益组织修复的营养素,如类胡萝卜素、番茄红素、维生素 E、各种氨基酸等。

2. 补充足量的支持身体免疫系统工作的营养素,如维生素 C、大蒜素、栎精、紫锥花、B 族维生素、各种氨基酸等。

3. 补充有利于血液净化的营养素,如必需脂肪酸、胆碱、肉碱、深海鱼油等。

4. 补充加强心脏功能的营养素,如辅酶 Q10、葡萄因子、α 硫辛酸、钙镁合剂等。

5. 制定一个清除体内毒素的计划, 如每个月 3~7 天的果蔬汁疗法、水解钙离子排毒疗法等定期清理体内毒素。

6. 每天坚持 30 分钟以上的深呼吸练习。

7. 戒除吸烟,吃油炸食品和肥腻食品等不良生活习惯。

十、胃炎

【临床描述】

胃炎是指任何病因引起的胃黏膜炎症。胃黏膜对损害的反应涉及上皮损伤、黏膜炎症和上皮细胞再生三个过程,但有时可仅有上皮损伤和细胞再生,而无黏膜炎症。胃炎是最常见的消化道疾病之一,一般可分为急性胃炎和慢性胃炎两大类。

【病理现象】

慢性胃炎病理变化是胃黏膜损伤和修复这对矛盾作用的结果,组织学上表现为炎症、萎缩和化生。在慢性炎症过程中,胃黏膜液有反应性增生变化,如胃小凹上皮形成、黏膜肌增厚、淋巴泡形成,纤维组织增生等。物理炎症还是萎缩或肠化生、腺体化生,开始时都呈灶性分布,随着病情的发展,灶性病变逐渐融合成片。一般,病理变化胃窦重于胃体,小弯侧重于大弯侧;当萎缩和肠生化严重时,炎症细胞浸润反而减少。

【病理解析】

病理上表现出来的炎、萎缩、化生与其他器官、部位表现出来的病理没有本质的区别。都是免疫系统发动战争、身体得不到及时的材料补充转而进入被动防御(萎缩、化生)阶段。

就像悲剧重演一样,人体内每时每刻都在发生这些事情。原因是我们不了解身体,无法给身体正确的支持。

【新视角】

1. 西方现代医学在胃炎治疗策略的制定中提到消除或减弱攻击因子、增强胃黏膜防御、动力促进剂使用等,这些策略都是非常有道理的,方向也很好。可惜的是,将增强胃黏膜的防御这么好的一个设想建立在依赖药物的基础上。结果并不能达到增强胃黏膜的防御效果，而变成了"借兵打仗"，又掉进西方现代医学的思维死角。胃炎也就变成了慢性胃炎。所谓慢性就是一直都无法根治的疾病，也就是说伤害的因素一直得不到清除的疾病。

2. 胃炎的康复是一个先苦后甜的过程，在康复过程中身体会让本来用药物抑制住的疼痛感表现出来。很多人并不习惯被调养出一身毛病出来。很多人本来好好地，调养之后就变得这里痛那里痛，或者整天头晕脑胀。因此表现得非常不理解，本来是想要治病的，结果病没好反而惹来一身不舒服。其实不是病不能好，而是许多人根本没有耐心等到病好，就放弃了。很多人没有办法理解康复过程中的一些异常反应，因此没等身体康复完全便放弃了，这是最可惜的事。有些人放弃就放弃了，还要埋怨别人，这是最可悲的事。

【康复建议】

1. 以流质食物为主：流质食物可以减小胃负荷及磨损。流质食物可以将豆类、根茎类、蔬菜、水果用搅拌机搅拌制得。

2. 补充 6 勺蛋白质粉：修复胃黏膜、增强免疫力。

3. 补充 400 国际单位天然维生素 E：修复受损组织、防止瘢痕形成。

4. 补充 15000 国际单位类胡萝卜素：修复胃黏膜，清除炎症。

5. 补充 500~1000 毫克天然维生素 C：提高免疫力，清除炎症，清除细菌。

6. 补充 25 毫克天然 B 族维生素：应对压力，调节胃酸分泌。

一根弹簧，假如一直不断地拉伸，到临界点还是不放松，
最终的结果便是把弹簧拉断，变成一根废物。

7. 适当补充各种消化酶,辅助食物消化。

【康复预测】

康复过程中可能出现上腹不规律刺痛及胀气。刺痛感是胃黏膜修复的结果,胀气是清除细菌过程中的反应。胃黏膜的修复大约需要 3~6 个月的时间。

【病例】

吴小姐,30 岁,胃炎病史 5 年,反复发作。调养后一个星期开始陆续出现胀气和刺痛,偶尔伴有烧心的感觉。康复反应出现一个月后,病情开始稳定,偶尔会有刺痛感。半年后,完全康复。

十一、消化性溃疡

【临床概述】

消化性溃疡泛指胃肠道黏膜在某种情况下被胃酸/胃蛋白酶消化而造成的溃疡,可发生于食道、胃或十二指肠,也可发生于胃—空肠吻合口附近。

【病理现象】

在显微镜下观察,溃疡的基质由外到内可分四层:

1. 急性炎性渗出物,由白细胞、红细胞和纤维蛋白组成。

2. 嗜酸性坏死层,为无组织结构的坏死物。

3. 肉芽组织,内含丰富的血管和结缔组织的各种成分。

4. 瘢痕组织。

【病理解析】

从炎症物质的渗出到瘢痕组织的形成与其他器官、部位表现出来的病理依然没有本质的区别,都是免疫系统发动战争、身体得不到及时的材料补充转而进入被动防御(瘢痕)阶段。

就像悲剧重演一样,人体内每时每刻都在发生这些事情。原因是我们不了解身体,无法给身体正确的支持。

【新视角】

西方现代医学对于消化性溃疡病因的描述是胃十二指肠黏膜除了经常接触高浓度胃酸外,还受到胃蛋白酶、微生物、胆酸、酒精、药物和其他有害物质的侵袭。在正常情况下,胃十二指肠黏膜能够抵御这些侵袭因素的损害作用,维持黏膜的完整性。这是因为胃十二指肠黏膜具有一系列的防御和修复机制,包括黏液/碳酸氢

聪明地利用人体的智慧来对抗源自疾病的威胁。

盐屏障、黏膜屏障、丰富的黏膜血流、上皮细胞更新、前列腺素和表皮生长因子等。消化性溃疡的发生是由于对胃十二指肠黏膜有损害作用的侵袭因素和黏膜自身防御/修复因素之间失去平衡的结果。这种失衡可能是由于侵袭因素增强,亦有可能是防御/修复因素减弱,或两者兼之。这种描述对消化性溃疡病因的描述中提到"消化性溃疡的发生是由于对胃十二指肠黏膜有损害作用的侵袭因素和黏膜自身防御/修复因素之间失去平衡的结果",已经击中要害,但是西方现代医学的目光并没有停留在这里,而更多地关注细菌、病毒等外源物质的伤害。

这种情况其实是西方现代医学对人体极度缺乏信心的反映。西方现代医学将人体视为毫无反抗能力的一部机器,因此从来也没有想过身体可能具备的康复能力。因此想尽办法也要"帮助"身体消灭敌人。而这种"帮助"却是那么苍白无力。虽然出发点很好,但是没有什么效果。

【康复建议】

1. 以流质食物为主:流质食物可以减小胃负荷及磨损。流质食物可以将豆类、根茎类、蔬菜、水果用搅拌机搅拌制得。

2. 补充 6 勺蛋白质粉:修复黏膜、增强免疫力。

3. 补充 400 国际单位天然维生素 E:修复受损组织、防止瘢痕形成。

4. 补充 15000 国际单位类胡萝卜素:修复黏膜,清除炎症。

5. 补充 500~1000 毫克天然维生素 C:提高免疫力,清除炎症,清除细菌。

　　6. 补充 50 毫克天然 B 族维生素：应对压力。

　　7. 补充必需脂肪酸：加速肠道细胞壁修复。

　　8. 补充肠道益生菌群。

　　9. 适当补充各种消化酶，如胰蛋白酶、菠萝蛋白酶等辅助食物消化。

【康复预测】

　　康复过程中可能出现上腹不规律刺痛及胀气。刺痛感是黏膜修复的结果，胀气是清除细菌过程中的反应。肠黏膜修复需要时间为 3~6 个月。

十二、慢性病毒肝炎

【临床概述】

　　慢性病毒性肝炎是指既往有乙型、丙型、乙型重叠丁型肝炎病毒感染半年以上并有肝炎临床概述者。组织学检查可显示不同程度的肝细胞坏死和炎症。本书以慢性乙型肝炎为例进行阐述。

【病理现象】

　　我国于 2000 年参照世界肝病会议制定的慢性病毒性肝炎炎症活动度分级及纤维化程度分期标准，主要以炎症的分布及纤维化的程度来界定。

建造质量可靠的楼房需要用上好的材料，构建健康的体魄，
也需要给身体提供上好的材料。

保养房屋的最好方法就是定期装修,重新装修的房子焕然一新。
保持健康的有效办法,是提供足够的材料让身体有机会重新装修。

【病理解析】

　　肝脏、脾脏的肿大是机体免疫力积极工作、努力清除病毒的表现。但是当身体得不到足够的材料支持时,变化慢慢变成消极防御产生纤维化组织。

【新视角】

　　1. 肝炎是困扰很多人的一种疾病,因为难于根治,难于转阴。难在哪里?并非人体的免疫系统无法对付这些病毒,而是肝脏是人体内"最忙"的器官。肝脏承担着人体500多种生理功能,是人体最大的消化器官、解毒器官、原料生产器官等,每时每刻肝脏都在运行。就像我们提到的汽车修理的例子,一辆汽车出现故障,必须先停下来,然后才能进行修理。不可能一边在马路上跑一边揭开车盖修理的。睡眠的时候是肝脏进行修复的时机,但是如果肝脏得不到足够的材料的话,修复依然无法正常进行。这其实也很容易理解,再怎么高明的修理工,假如不给他零件,也无法修理汽车。所以肝脏的康复关键是要让肝脏"停下来",然后提供足够的材料支持修复。

　　2. 治疗肝炎的药物是著者求学时研究的课题之一。当初困扰著者的问题是如何对付病毒的抗药性以及如何降低药物的毒副作用。所谓抗药性是指某种药物使用一段时间后,将失去它的作用,因为病毒变异了。现在使用的肝炎类药物依然存在这样的问题。

　　同时,将过多的注意力放在病毒身上会让我们精疲力竭,根本无法找到理想中的药物。

　　3. 生化指标的变化是人体生理发生变化的表现。在疾病的恢复过程中有很多指标都会超出或低于正常的参考值。有些人的超标还不是一般程度地超，而是几十倍几百倍地超标。很多人在这时便乱了方寸，指标变得如此不正常，担心出问题。医生在这个时候也通常会很消极地考虑问题，认为病情在恶化。这个时候，通常的人都会求助于药物，控制指标。著者个人对这种做法非常反对。大部分人被教育成为医学指标而活着，而忘记了这些指标的真正意义。很多人明明头痛，明明精神不好，明明体力不支，但是到医院检查，结果医生说指标正常。所以回到家里很高兴，虽然头还是在痛，精神仍然不好，体力还是不怎么好，但是很放心，因为指标正常，所以继续抽烟、继续喝酒、继续熬夜、继续吃垃圾食品。

也有很多人，在接受调养之后，明明睡眠改善了，体力也好了，食欲增强了，精力充沛了。但是到医院检查，结果不妙。医生说指标不正常，所以害怕得不得了，打针吃药，努力把指标降下来，结果体力不好、食欲不振、睡眠质量下降，但是指标正常了。

我们举个例子来说明应该怎样看待这些医学指标。假如你家房子旧了，要重新装修。那么必须把旧的天花板、地板、墙砖敲掉，还要把一些垃圾清除出来。这个时候我们来看这个屋子的时候，里面一定是很脏、很乱的，这时候如果用卫生标准来衡量的话，这个房子肯定是不合格的。但是等到房子重新装修好的时候，再看的话，肯定是非常漂亮，干净。

康复中的身体检查出医学指标的异常，其实就相当于正在装修的房子，垃圾还没有完全清除干净时候的状况。因此看医学指标不能只看表面，还应该看到发展的趋势和方向。假如是往好的方向发展,我们便不必过分地担心指标的异常。

【康复建议】

1. 补充 6 勺蛋白质粉:提高免疫力,提供组织修复材料。

2. 补充 100 毫克天然 B 族维生素:提高肝脏解毒能力,减轻肝脏代谢负担。

3. 补充 1000 毫克天然维生素 C:提高免疫力,清除炎症,抗氧化。

4. 补充 800 国际单位天然维生素 E 硒合剂:抗氧化,加快组织修复,防止瘢痕形成。

5. 补充复合天然维生素矿物质合剂:为组织修复提供必需营养素。

6. 补充天然奶蓟(奶蓟是一种草药,在欧洲被用来治疗肝病已有几千年的历史。其主要功能成分为一类叫水飞蓟素的类黄酮混合物,它能激活肝脏蛋白的再生,可防治酒精肝、脂肪肝、肝硬化、急慢性肝炎等)提取物:保护肝脏,清除病毒。

7. 补充谷胱甘肽:保护肝脏,抗氧化。

8. 补充大蒜卵磷脂合剂:加快肝脏修复,促进脂肪代谢防止脂肪肝。

9. 补充辅酶 Q10:消除免疫抑制,增加组织的氧含量。

【康复预测】

肝炎恢复大约需要 1~2 年的时间。在康复过程中,病人可能会出现转氨酶升高、球蛋白上升、胆红素升高等生化指标的变化。同时会出现疲劳乏力，后期出现黄疸现象。这些指标的变化及异常症状是肝脏纤维化细胞及炎症细胞脱落的反映。疲劳乏力是肝脏修复的反映。出现这些异常变化时可到医院检查肝纤维化程度及病毒 DNA 数的验证，这两项指标可以判断病情是往好的方向发展还是继续恶化。

【病例】

李先生，35 岁，患乙型肝炎 15 年，面临肝移植的危险。接受调养后，康复反应出现，转氨酶等指标开始飙升，令人有心惊肉跳的感觉。病情反复几次后，逐渐稳定，半年后由大三阳转变成小三阳。循环执行 MSC 计划及调养方案，一年半后转阴，之后经过 1 年的修复期，健康状况趋于稳定。

十三、非酒精性脂肪肝

【临床概述】

非酒精性脂肪肝是以肝细胞脂肪变性和脂肪蓄积为病理特征，但无过量饮酒史的临床综合征，包括单纯性脂肪肝、脂肪性肝炎、脂肪性肝硬化三种主要类型。

【病理现象】

根据病理特征可分为单纯性脂肪、脂肪性肝炎，以及脂肪性肝纤维化和肝硬化三个阶段。单纯性脂肪肝无明显的炎症、坏死和纤维化。脂肪性肝炎是进展为肝硬化的关键阶段，其主要病理特征为肝细胞大泡性或以大泡性为主的混合性脂肪变性；肝细胞气球样变，甚至伴肝细胞不同程度的坏死；小叶内混合性炎症细胞浸润。当肝硬化发生后，肝细胞脂肪变性和炎症则减轻，甚至完全消失。

【病理解析】

初期脂肪积累只是因为肝脏代谢脂肪、糖类能力下降或负担过大，当这种情况一直得不到改变时，积聚的脂肪将损伤肝脏细胞引发炎症，再不改善时便出现纤维化、硬化，这又是一个典型的身体得不到足量材料而衰退的过程。

【新视角】

1. 大部分人认为，脂肪的堆积就是因为摄取脂肪过多引起的。其实，人体大部分的脂肪堆积都不是由脂肪本身引起的，而是碳水化合物的富余引起的。碳水化合物虽然在人体具有重要的生理意义，但是，现代人的膳食结构使得大部分人的碳水化合物摄入量都超过了人体所需的量。富余的那部分便转化成脂肪，贮存在体内，作为应急能量供给之用。

所以脂肪肝调养的饮食控制关键并不在于脂肪和蛋白质摄入，而在于碳水化合物的摄入控制。同时提高人体碳水化合物的利用率也是调养脂肪肝的重要策略。

2. 西方现代医学上对非酒精性脂肪肝的治疗原则的描述是

151 病人往右

"去除病因,治疗原发病是其关键。此外,还要注意调整饮食,戒除不良习惯,合理运动,并根据疾病的不同、相关的发病机制、突出的临床概述以及实验室检查结果酌情辅以药物治疗"。这种描述原则的描述是非常有意义的。但是在临床实际操作过程中"酌情辅助药物治疗"变成"依赖药物治疗","注意饮食调整"变成了"只吃饭"基本上不能吃肉、不能吃脂肪、不能吃鸡蛋,总之这也不能吃,那也不能吃。几乎医生除了没有说"不能吃饭"之外,其他的东西好像不怎么能吃。所以干脆什么都不吃,只吃饭。这样"饮食调节"的结果其实并不能改善病情,反而会让病情恶化。现代人所吃的饭,基本上都是精制的白米。精制的白米除了碳水化合物之外,几乎不含其他的营养素。精米面的危害在本书的前面部分也做过描述,这里重申一次,病人因为这也不能吃那也不能吃,只能靠吃米饭来填饱肚子。结果过量的碳水化合物转化成脂肪堆积在肝脏,使病情恶化。所以脂肪肝患者要"慎谈"饮食控制。出发点虽然很好,但方法不对,结果不一定能如意。

【康复建议】

1. 补充 3 勺蛋白质粉:提高免疫力,提供组织修复材料。

2. 补充 100 毫克天然 B 族维生素:提高肝脏解毒能力,减轻肝脏糖代谢、脂肪代谢负担。

3. 补充 1000 毫克天然维生素 C:提高免疫力,清除炎症,抗氧化。

4. 补充 200~400 国际单位天然维生素 E 硒合剂:抗氧化,加快

新鲜食物是健康的源泉。

组织修复,防止瘢痕形成。

　　5. 补充 100 毫克铬:提高糖类利用效率,减少脂肪积聚。

　　6. 补充天然奶蓟提取物:保护肝脏,提高肝脏功能。

　　7. 补充谷胱甘肽:保护肝脏,抗氧化。

　　8. 补充大蒜卵磷脂合剂:加快肝脏修复,促进脂肪代谢防止脂肪肝。

　　9. 补充辅酶 Q10:消除免疫抑制,增加组织的氧含量。

　　10. 补充必需脂肪酸:减少脂肪积聚。

【康复预测】

　　康复需要一年时间。在康复过程中,肝脏需要先把毒素排放出来,在这过程中患者的皮肤可能出斑、长痘或者出现其他一些皮肤变化,这些都是肝脏排毒的反应。经过皮肤变化之后患者将进入疲

劳、乏力的阶段,这个阶段是肝脏修复的关键时期,这个时期部分患者还会出现面部发黄的情况,这些都是肝脏修复的反应。

十四、肝脏综合

肝脏是一个最大的内脏器官,基本上人体所需要的蛋白质都是在肝脏合成的,糖类、脂肪都是在肝脏里面代谢的。可以说肝脏是人体的生化工厂,另外承担着人体重要的解毒功能,人体90%的毒素都必须通过肝脏分解、转化。另外肝脏还承担着其他500多种生理功能。

肝脏出现疾病的话将影响心脏、肾脏、脾脏等其他组织器官的功能,导致全身性疾病的发生。

肝脏疾病的恢复关键在于减轻肝脏的负担,提高肝脏的解毒能力,修复肝脏受损的组织。

十五、慢性肾小球肾炎

【临床概述】

慢性肾小球肾炎简称慢性肾炎,是一组以血尿、蛋白尿、高血压和水肿为临床表现的肾小球疾病。临床特点是病程长,起病前多有一个漫长的无症状尿异常期,然后缓慢持续地进行性发展,可有不同程度的肾功能减退,最终至慢性肾衰竭。

假如你无法在晚上九点之前睡觉,那么起码要在十点半之前睡觉。
看在孩子黑眼圈的分上,我想你能做得到。

"给你的肠子洗个澡吧！"这是一句深入人心的广告词。身体需要清洁的地方不单纯在肠道，全身的每一个细胞都需要定期地大扫除。

【病理现象】

慢性肾炎的病理类型多样，常见的有系膜增生性肾小球肾炎（包括 IgA 肾病和非 IgA 系膜增生性肾小球肾炎）、局灶性节段性肾小球硬化、肾小管萎缩和间质纤维化，最终肾脏体积缩小，发展为硬化性肾小球肾炎。

【病理解析】

肾脏是排泄器官，排泄人体代谢过程中不能被利用的尿酸、尿素等废物。造成慢性肾炎的原因有可能是人体代谢废物的产生过多或人体利用蛋白等效率下降，因此造成过多的废弃物需要从肾脏排出，这种情况不断持续下去，造成肾小球细胞超负荷工作，过度损伤，病毒细菌趁机攻击人体组织，人体免疫力清除病毒细菌因此发生炎症。最初是局部炎症开始，但是当人体一直得不到足够的材料支持时，便开始发生萎缩和纤维化。纤维化、硬化是身体被动防御措施，纤维化的细胞不被细菌或病毒感染，但可以维持器官的物理结构。这样的病理结果其实又是身体长期得不到足够材料应对有害物质的结果。

【新视角】

1. 慢性肾炎是医学界一直都非常头痛的问题，目前医疗手段所能起到的作用，顶多也只是延缓病程的发展，这样一个事实是非常悲哀的。目前对于慢性肾炎的治疗方案，其实仍然无法跳出现代医学的思维局限，"抑制症状"、"借兵打仗"，而且采取一种消极的思维方式去教育医生和病人。教科书中,不断地有很多文字跳出来,在暗示这种病是很难治的,没有很好的解决方案等。这样潜移默化的影响使得多数医学院的毕业生,在完成学业后,唯一能记住的可能就是放弃积极治疗。因为这是最常听到的,也是最省事的处理办法。这种想法当然对病人是很不公平的,假如本来有机会治好的疾病,仅仅因为难治而放弃治疗,病情不断恶化,最终无奈地面对死亡的话,那是很可悲的。

2.通常真相都会隐藏于各种表象之下。一直以来医学界都认为血尿、高血压、高尿蛋白是慢性肾炎必须要控制的危险因素。但是这些只是表象,人体代谢废物的增多,肝脏解毒功能的下降才是真正我们需要关注的问题。肾脏疾病的根源不在肾脏本身,而在肝脏。因此肾脏病人康复必须考虑以下几个方面:首先加强肝脏的解毒功能;其次加快肾脏受损组织的修复;第三加强肾脏的排泄功能,清除代谢废物。

【康复建议】

1. 补充 3 勺蛋白质粉:提高免疫力,提供组织修复材料。

2. 补充 100 毫克天然 B 族维生素:缓解液体滞留、加强肝脏的解毒功能。

3. 补充 1000 毫克天然维生素 C:酸化尿液,增强免疫力。

4. 补充 1500 毫克钙镁合剂:对水的吸收具有重要意义。

5. 补充 15000 国际单位类胡萝卜素:对肾小球的黏膜壁修复具有重要意义。

6. 补充 800 国际单位天然维生素 E:加快组织修复,修复纤维化组织,增强免疫力,清除自由基。

7. 补充天然越橘胶囊:越橘中含有可酸化尿液、破坏细菌生长及增强伤口愈合的物质。

8. 补充天然蒲公英提取液：蒲公英提取液有助于排泄肾脏废物。

9. 补充西芹汁:天然的利尿剂,有助于控制尿酸的水平。

10. 补充增强肝脏代谢能力的营养素,如奶蓟、辅酶 Q10 等营养素,从肝脏源头减轻肾脏的压力。

【康复预测】

慢性肾炎病人,病况复杂,康复周期视个体情况而异。在康复过程中,部分人的血尿、尿蛋白的指数可能变得更加不正常,部分病人血压升高,水肿的情形会加重。这些异常是康复过程的反应,当肾小球功能恢复时, 会增强其排泄废物的能力, 因此从临床表现看,反而会排出更多的血尿、蛋白等代谢的废物,呈现出异常的生理指标。

十六、尿路感染

【临床概述】

尿路感染是指各种病原微生物在泌尿系统生长繁殖所致的尿路急性、慢性炎症反应。多见育龄女性、老年人、免疫功能低下、肾移植和尿路畸形者。

【病因】

尿路感染的病原微生物主要是细菌,极少数是病毒、真菌、衣原体、支原体及滴虫等。单纯性尿路感染与复杂性尿路感染的病原菌谱有所差异。临床中尿路感染常为单一细菌感染,但在长期使用抗生素或免疫抑制剂治疗、长期留置导尿管或输尿管插管以及机体抵抗力差、泌尿器械检查者,可见多种细菌混合感染、厌氧菌及真菌感染。

【病理】

1. 急性膀胱炎会出现膀胱黏膜充血、潮红、上皮细胞肿胀、黏膜下组织充血、水肿和炎症细胞浸润。严重者可见点状或片状出血、黏膜糜烂。

2. 急性肾盂肾炎病变可为单侧或双侧。局灶或弥漫性肾盂黏膜充血、水肿,黏膜组织炎症细胞浸润(早期为中性粒细胞,治疗后逐渐被单核细胞、淋巴细胞替代),并形成微小脓肿;肾小管上皮细胞脓肿、坏死、脱落,肾小管管腔中可见脓性分泌物、炎性细胞、脱落的肾小球上皮细胞以及由此形成的管型;严重者可见肾锥体和肾乳头坏死;肾间质水肿和炎细胞浸润。

3. 慢性肾盂肾炎的双侧肾脏病变不对称。肾体积缩小、表面凹凸不平;肾皮质和肾髓质变薄,肾盂扩大,畸形;肾皮质和肾乳头瘢痕形成引起肾盂变型;严重者肾实质广泛萎缩形成固缩肾。肾小管萎缩;肾间质淋巴细胞、单核细胞浸润伴不同程度纤维化,急性发作时可见中性粒细胞浸润;肾小球基本正常,但晚期肾小球硬化。

【病理解析】

尿路感染出现的局部红肿、充血、疼痛、炎症细胞浸润、淋巴细胞浸润等都是免疫系统发动战争清除外源微生物的反应,尿路感染其实与呼吸道感染的病理有几分相似,只是它们在人体的部位不同而已。

【解读】

抗生素治疗及抗生素联合使用的治疗策略属于"借兵打仗",这种治疗方式造成机体免疫力的下降,同时根本无法真正达到根治的目的,使得疾病不断地反复发作。

【康复建议】

1. 补充天然蛋白质粉 3 勺:蛋白质是免疫力抗体、细胞修复的主要材料。

2. 补充 1000 毫克天然维生素 C:刺激免疫系统,增强机体免疫力。

3. 补充 15000 国际单位天然类胡萝卜素:加快黏膜细胞修复,同时加速战争残留毒素的排放,缩短炎症期。

4. 补充 25~50 毫克天然 B 族维生素:激活细胞修复所需要的酶,并参与蛋白质的利用。

5. 补充 400 国际单位天然维生素 E：加快疤痕组织的愈合。

6. 补充 50 毫克锌锭：增强免疫力，促进组织修复。

7. 适当补充刺激免疫系统的天然草药萃取物，如紫锥花提取物、大蒜素等。这些增补剂可在初期使用，可以加快康复的进程，在康复后期，组织修复为主时，使用的意义便不大了。

【康复预测】

一般尿路感染的病人在 3 个月左右能够清除感染。在康复过程中可能出现发烧、血尿、排尿疼痛等不适症状，这些反应是免疫系统工作及机体修复的反应。

十七、慢性肾衰竭

【临床概述】

慢性肾衰竭是指各种慢性肾脏疾病进行性进展引起肾单位和肾功能不可逆转的丧失，导致代谢产物和毒物潴留、水电解质和酸碱平衡紊乱以及内分泌失调为特征的临床综合征，常常进展为终末期肾衰竭。慢性肾衰竭晚期称为尿毒症。

【病理现象】

慢性肾衰竭的进展除各种病因性肾脏疾病特异性病理变化之外，尚存在因大量肾单位丧失引起的一系列病理生理进展的共同机制。

是否需要额外补充营养补充品取决于身体的状态，
营养补充品的优势在于能够在短时间内供给身体大量的材料。

1. 肾小球血流动力学改变,肾小球高灌注、高压力和高滤过。

2. 尿蛋白加重肾脏的损伤。

3. 血压升高。

4. 肾细胞增殖、细胞外基质聚集和组织纤维化。

5. 肾小管间质损伤。

6. 尿毒症。

【病理解析】

　　肾衰竭病人表现出来的血压升高、尿蛋白增加、肾小球血流动力学等改变是肾脏面临巨大排泄负荷时表现出来的生理反应,肾细胞增殖、细胞外基质聚集和组织纤维化是肾脏被动防御机制的启动。从这阶段开始,肾脏基本上处于无法招架的状态,已经无法很好地排泄代谢废物,废物在体内积累,因此最终演变成尿毒症。

【新视角】

1. 人体器官的功能衰竭并非突然发生的, 就好像任何机器都有使用期限一样,人体的器官也有。器官的功能性衰退是疾病发展到非常严重的一个阶段。机器损耗的原因无非是保养不及时或过度使用,这两个因素都将导致机器加速报废。人的器官也一样,伤害因素不去除,又不及时保养的话,便会不断损坏器官,影响正常的功能。

2. 肾衰竭在医学的角度是一个必然的结果。目前医学的手段甚至连肾炎都无法很好地进行救治, 这些肾脏疾病的发展最终结果便是肾脏功能衰竭。其中很重要的因素还是消极的治疗思路。医院用药的目的从一开始便定位为"延缓病情的发展",这样的定位并没有将治愈放在首位, 因此病治不好也是必然的。即使是肾移植,这种"偷梁换柱"的策略也并不是解决问题的最佳途径。器官移植面临着排异反应, 必须完全抑制人体的免疫力才有 30% 左右的成功率。就算是器官移植成功,造成肾脏疾病的刺激因素并没有因为器官的移植而去除。这意味着,疾病可能还会复发。病人冒了那么大的风险, 花了那么多钱财,最终其实病并没有真正地治好。最理想的状态也只能说暂时没有生命危险而已。

3. 以前说过,疾病的康复就像一场战争,战争的胜负取决于病人的勇气和信念。当危急状况出现时,病人做怎样的选择是决定胜负的关键。像肾衰竭这种病,病程长,病情险。在康复过程中必然险

协同作用,需要不同的营养素之间相互协作,才能发挥最大的好处。

> 没有任何一双鞋子适合任何人，也没有任何一个方案适合所有的人，适用的是原则、方向，需要调整的是细节。

境环生，很多病人或家属可能无法承受这些危情的折磨，大部分人会半途而废并求救于医院，抑制症状、抢救。

【康复建议】

1. 补充 3 勺蛋白质粉：提高免疫力，提供组织修复材料。

2. 补充 100 毫克天然 B 族维生素：缓解液体滞留、加强肝脏的解毒功能。

3. 补充 2000 毫克天然维生素 C：酸化尿液，增强免疫力。

4. 补充 1500 毫克钙镁合剂：对水的吸收具有重要意义。

5. 补充 15000 国际单位类胡萝卜素：对肾小球的黏膜壁修复具有重要意义。

6. 补充 800 国际单位天然维生素 E：加快组织修复，修复纤维化组织，增强免疫力，清除自由基。

7. 补充天然越橘胶囊：越橘中含有可酸化尿液、破坏细菌生长及增强伤口愈合的物质。

8. 补充银杏、棕榈提取液：加快毛细血管修补，增加细微组织的弹性。

9. 补充天然蒲公英提取液：蒲公英提取液有助于排泄肾脏废物。

10. 补充西芹汁：天然的利尿剂，有助于控制尿酸的水平。

补充增强肝脏代谢能力的营养素，如奶蓟、辅酶 Q10 等营养素，从源头减轻肾脏的压力。

【康复预测】

尿毒症的患者,严格意义来讲已经从一个慢性病患者转变成一个急性病患者,属于危重病人。同时人体的一个器官衰竭必然影响到其他器官的功能。在康复过程中病人除了各项生化指标会变得更加不正常之外,还可能出现昏迷、浑身疼痛、皮肤溃烂等状态。每一个危急状态都是一个关卡。挺过来了,便迈向下一阶段。挺不过来,便失败了。病人和家属需要非常清楚并愿意承担其中的风险。

十八、甲状腺功能亢进

【临床概述】

甲状腺功能亢进,简称甲亢,是指由多种病因导致甲状腺激素分泌过多,引起以神经、循环、消化等系统兴奋性增高和代谢亢进为主要表现的一种临床综合征。亚临床甲亢是指 T3、T4 正常,超敏 TSH 降低而缺乏甲亢症状与体征的一种临床状态。

【病理现象】

甲状腺呈对称性弥漫性增大。甲状腺内血管增生,滤泡细胞增生肥大,细胞呈立方状或柱状,滤泡细胞由于过度增生而形成乳头状折叠凸入滤泡腔内。高尔基体肥大,内质网发育良好,核糖体丰富,线粒体数目增多。滤泡腔内胶质减少甚至消失。甲状腺内可有淋巴细胞浸润,或形成淋巴滤泡,或出现淋巴组织发生中心。

在浸润性突眼患者中,眼球后有脂肪细胞、淋巴细胞及浆细胞浸润,黏多糖与透明质酸增多;肌纤维增粗、透明质酸增多;肌纤维增粗、透明性变及断裂,纹理模糊;肌细胞内黏多糖肌透明质酸亦增多。后期则导致纤维组织增生和纤维化。

【病理解析】

甲状腺内血管的增生、细胞的肥大等病理变化都是甲状腺分泌更多甲状腺素,甲状腺超负荷工作的表现。但是当甲状腺一直超负荷工作,得不到足够的材料更新细胞时,免疫细胞便介入清除这些伤残细胞,因此出现淋巴细胞的浸润。病情发展下去后期出现纤维组织增生和纤维化。

【新视角】

1. 腺体出现的疾病,多数不是腺体本身机能出现问题造成的。甲状腺是控制机体代谢速率的腺体。引起代谢速率加快的原因可能是身体对养分的需求增大,这种养分的增加通常是为了应对某种持续不断的压力或是机体有组织器官受到严重的损伤造成的。例如长期处于紧张的工作压力之下,有可能引发甲亢。

2. 甲亢是一种很常见却很难处理的疾病。有些人很快就可以用药物治好,有些人却怎么也无法达到好的治疗效果。现代医学关于甲状腺功能亢进的治疗策略包括药物治疗、放射性碘治疗及手术治疗三种,就像"程咬金的三板斧",医学的角度永远都是早期用药物抑制甲状腺分泌甲状腺素,等到病情进一步发展甲状腺肿大时,便用手术的方式把肿大的部位切掉,让它在形状上看起来正常一点。现代外科手术水平的进步使得我们可以轻易地打开人体来修理任何一个器官。其实这种思维方式是不可思议的,就好像是人体的器官可以随便地拿掉一样。

【康复建议】

1. 首先改变工作或生活的节律,将节律放慢,以缓解持续压力对身体造成的伤害。

2. 补充3勺蛋白质粉:保证机能恢复所需的氨基酸。

3. 补充150毫克天然B族维生素:甲状腺机能所必需的,调节代谢。

4. 补充1000毫克天然维生素C:可缓解紧张、增强免疫力。

5. 补充400国际单位天然维生素E:抗氧化剂和必需营养素,可以改善纤维化的组织。

6. 补充1500毫克钙镁合剂:可缓解紧张。

7. 必需脂肪酸:纠正腺体功能所必需的。

8. 补充1000毫克卵磷脂颗粒:促进脂肪代谢,保护器官和细胞内膜。

【康复预测】

甲亢病人康复周期约为6个月左右,在康复过程中可能出现烦躁、失眠、呼吸加速、精神紧张等不适反应,只有坚持调适心态及放缓工作生活节律,坚持康复建议,这些不适症状出现的频率会不断减小,直至完全消失。

很多人,离康复只有一步之遥,却因为心急而放弃了重生的机会,这将成为他们及其家人一生的遗憾!

十九、甲状腺功能减退

【临床概述】

甲状腺功能减退,简称甲减,是由多种原因引起的甲状腺激素合成、分泌和生物效应不足所致的一种临床综合征。重者可引起黏液性水肿,更为严重者可引起黏液性水肿昏迷。没有甲减症状和体征,但血清中超敏 TSH 高的轻型甲减称为亚临床甲减。低 T3、T4 综合征亦称为疾病相关性或适应性甲减, 是指患者无甲减症状,血 T3、T4 呈暂时性代偿性降低,uTSH 正常或降低的一种重症疾病并发症。

【病理现象】

慢性淋巴细胞性甲状腺炎有大量淋巴细胞和浆细胞浸润,久而久之滤泡被毁,代之以纤维组织残余的滤泡矮小、萎缩、扁平,泡腔内充满胶质。呆小病者除 TH 合成障碍致腺体增生肥大之外,一般均呈萎缩性改变,或发育不全。如功能降低的甲状腺组织对 TSH 有反应,常发生代偿性弥漫性肿大,病期久者常伴大小不等的甲状腺结节。原发性甲减由于 TH 减少,对垂体的反馈抑制减弱而使 TSH 细胞增生肥大,甚至发生 TSH 瘤,同时伴高泌乳素血症。垂体性萎缩甲减患者的垂体萎缩,亦可继发于垂体肿瘤或肉芽肿等病变。

皮肤角化过度,黏多糖沉积,PAS 染色阳性,形成黏液性水肿。内脏的细胞间质有同样物质沉积, 严重病例有浆膜腔积液。骨骼肌、平滑肌、心肌间质水肿,横纹消失,肌纤维肿胀断裂。脑细胞枯萎、胶质化和灶性蜕变。肾小球和肾小管基底膜增厚，系膜细胞增生。

【病理解析】

部分甲减病人在检查出甲减之前应该会有甲亢的表现。甲状腺细胞过度劳损，免疫细胞清除死亡的细胞时便会出现淋巴细胞和浆细胞浸润的病理现象。当甲状腺细胞一直得不到足够的材料更新受损细胞的话，甲状腺细胞最终会出现纤维化、萎缩等病理变化。

当然部分甲减病人并非由于甲状腺本身出现功能衰退，而是刺激甲状腺分泌的脑垂体机能出现紊乱造成的，这是另外一种类型的甲减。

构成大部分腺体的材料是相似的，所以无论是那种类型的甲减，可以按照基本的调养方法进行调养，不同的病例只需要根据个体的情况做适当的修改。

【新视角】

1. 就像前文描述一样，西方现代医学喜欢将疾病细分，这样的结果是把问题搞得很复杂。问题复杂化之后，想要解决问题也变得不太可能。从病理描述可以看出，其实只要恢复甲状腺细胞，甲状腺的功能便可以恢复正常。西方医学所采用的策略是"借兵打仗"，采用甲状腺素的代替物来治疗因甲状腺素分泌减少引起的疾病。这种治疗方法与糖尿病的治疗方法是同出一辙的。但是这种方法

身体从来不会做毫无意义的事，身体的每一个反应，
我们都必须好好地去体会她的真正意义。

"副作用极大",所以并非解决问题的最佳办法。所以临床上流传着这样一句话,"急性的甲减好治,慢性的不好治"。因为急性的甲减即使用药的话,也可以很快地控制病情,药物的副作用对其他器官的毒害还少,但是如果是慢性甲减的话,长期用药,结果是控制甲减的同时,肾脏、肝脏等器官必然会被严重损伤。所以临床的医生对于急性转慢性的甲减病人都是一筹莫展。

2. 大部分人治病的真正目的并不是要恢复健康,而是将引起身体不适的症状去除。症状去掉了便以为是康复了。曾经有一位朋友,当我告诉他接受调养会有很多不适症状产生时,他竟然无法接受,放弃了想要调养的想法。症状只是疾病产生和康复过程中旧平衡打破,新平衡建立的信号。假如忍受不了,这样的痛苦,便永远也不可能康复。

【康复建议】

1. 补充 6 勺蛋白质粉:保证机能恢复所需的氨基酸。

2. 补充 150 毫克天然 B 族维生素:提高细胞氧化和产能,对正常消化、免疫功能、红细胞生成、甲状腺功能必需。

3. 补充 500 毫克天然维生素 C:可缓解紧张、增强免疫力。

4. 补充 400 国际单位天然维生素 E:抗氧化剂和必需营养素,可以改善纤维化的组织。

5. 补充 1500 毫克钙镁合剂:可缓解紧张。

6. 必需脂肪酸:纠正腺体功能所必需的。

7. 补充 1000 毫克卵磷脂颗粒:促进脂肪代谢,保护器官和细胞内膜。

8. 补充 15000 国际单位类胡萝卜素：维持免疫功能，保护眼睛、皮肤等健康所必需。

【康复预测】

甲减病人康复周期约为 6~12 个月，在康复过程中可能出现疲倦、头痛、记忆力下降、注意力不集中、焦虑等不适症状。这些是康复过程中的正常反应。甲状腺是控制代谢节律的腺体，它的功能异常必然影响其他腺体及器官的功能异常，所以在康复过程中，随着甲状腺功能的恢复，会将身体已有的生理平衡打破，在各种生理平衡打破的过程中，有可能出现上述反应。

二十、糖尿病

【临床概述】

糖尿病是由遗传和环境因素共同作用引起的一组以糖代谢紊乱为主要表现的临床综合征。胰岛素分泌、胰岛素作用或者两者同时存在的缺陷引起碳水化合物、脂肪、蛋白质、水和电解质等代谢紊乱，临床以慢性高血糖为主要共同特征，最严重的急性并发症是糖尿病酮症酸中毒、非酮症高渗性昏迷和乳酸性酸中毒。长期糖尿病可引起多个器官慢性并发症，导致功能障碍和衰竭，成为致残和病死的主要原因。

疾病久治不愈的原因是细胞无法摄取足量的新陈代谢所需要的养分。

【病理现象】

1型糖尿病胰腺病理改变特征为胰岛B细胞数量显著减少及胰腺炎,病程少于一年死亡病例的B细胞数量仅为正常的10%左右。50%~70%病例有胰腺炎,表现为胰岛内淋巴细胞和单核细胞浸润。其他改变有胰腺萎缩和B细胞空泡变性,

少数病理胰腺无明显病理改变。分泌胰高糖素、生长抑制及胰多肽的细胞数量正常或相对增多。

2型糖尿病胰腺病理改变特征为淀粉样变性,90%患者的胰腺在显微镜下见淀粉样物质沉积于毛细血管和内分泌细胞间,其程度与代谢紊乱程度相关;此外胰腺可有不同程度的纤维化。胰岛B细胞数量中度或无减少,胰高糖素分泌细胞增加,其他胰岛内分泌细胞数量无明显改变。

糖尿病大血管病变的病理改变为大中动脉粥样硬化和中小动脉硬化,与非糖尿病患者基本相同。

糖尿病微血管病变是指微小动脉和微小静脉之间的毛细血管和微血管网的病变。常见于视网膜、肾、肌肉、神经、皮肤等组织,特征性病变是PAS阳性物质沉积于内皮下,引起毛细血管基膜增厚。

【病理解析】

糖尿病在检查出血糖异常之前，应该有一段时间呈现低血糖症，如头晕、心慌等，这个阶段其实是胰腺功能亢进的阶段，胰腺大量分泌胰岛素使得血糖过低。假如胰腺功能亢进一直得不到改善时，将引发胰腺细胞过度工作，细胞过度劳损，这时，免疫细胞介入，炎症发生。如果到这个阶段，身体依然得不到足够的材料来改变胰腺功能异常的话，那么胰腺细胞步入大量死亡的阶段。胰腺细胞减少，胰岛素分泌降低，血糖升高，这一阶段便是医学上称为糖尿病的阶段。当然假如胰腺继续得不到足够的材料来逆转这个过程的话。过高的血糖其实意味着两件事情，机体的各个组织器官得不到足够的糖分提供能量，大部分的细胞处于饥饿状态。另一方面，大量的糖分滞留血液，损伤血管及毛细血管组织，这部分表现在糖尿病并发症的发生。糖尿病在本质上与甲亢和甲减没有什么区别，严格来讲，它与大部分的疾病都没有什么区别，都是器官过度工作，原材料供应不足，造成的器官功能异常。

【新视角】

1. 糖尿病病人被教育说终身要服降糖药，而且越到老年，越痛苦。在年纪不断增大时，身体的机能不断下降，靠药物控制病情变得越来越困难，这时并发症发生的机会便不断增大。大多数糖尿病病人在年老的时期基本上每天都得到医院报到，不是清洗伤口就是透析或者其他什么问题，苦不堪言。西方现代医学关于糖尿病的治疗方案中，降糖药和胰岛素的治疗其实都是属于"借兵打仗"的

新陈代谢的机制，就像旧房子可以重新装修变成新房子，使受损组织有机会进行修复，为疾病的康复提供了可能。

策略。除此之外还提到"胰腺和胰岛细胞的移植"这是"偷梁换柱"的策略。**人类总是低估身体的力量，而喜欢高估自己的智慧。**既然已经想到了将受损的胰腺和胰岛细胞替换就能根治糖尿病，那么为什么不直接支持身体去完成这种替换过程，让身体自己重新长出一个一模一样的胰脏不就可以了吗？为什么非要花那么多时间、精力和金钱研究再怎样制造一个胰脏呢？

2. 支持身体重新长出一个胰脏比人工制造一个胰脏要简单得多。很多病人被错误的观念教育成一个只会依赖药物没有一点判断力的人。

不愿意尝试新的方法，不愿换个角度思考问题。因为他们脑袋中有太多的不可能。他们不断地被告知糖尿病没法治，高血压没法治，肿瘤没法治，甚至被告知慢性鼻炎也没法治。

难道真的没法治吗？其实不是，而是治的方法不对。方法不对自然没有办法把病治好。其实病不是用来治的，任何疾病只要是生在人身上就有机会痊愈。我们知道人体有新陈代谢，人体老的细胞不断被新生的细胞代替。人体有干细胞，这是可以发育成任何器官的一种细胞。这便为疾病康复提供了可能。

疾病康复的关键在于病人愿意真正地了解自己的身体，对自己的身体负责。愿意接受新的尝试而不墨守陈规。

【康复建议】

1. 补充 6 勺蛋白质粉：提供胰腺修复所需的材料。

2. 补充 150 毫克天然 B 族维生素：促进糖类、脂肪类代谢。

3. 补充 1000 毫克天然维生素 C：提高免疫力，预防血管病变。

4. 补充 400 国际单位天然维生素 E：促进循环，抗氧化，预防并发症。

5. 补充 1500 毫克钙镁合剂：胰岛素所必需的，代谢中重要的辅酶。

6. 补充 5~10 毫克锰：胰岛素所必需的，也是代谢中关键酶的辅酶。

7. 补充 5~10 毫克铬：提高胰岛素利用效率。

8. 补充 100 毫克辅酶 Q10：稳定血糖。

9. 补充越橘胶囊：有助于促进胰岛素的生成。

10. 补充葡萄子提取物：抗氧化，预防并发症

【康复预测】

糖尿病的病人康复周期约为 1~2 年，在康复过程中将出现血糖升高的情况。病程长，长期注射胰岛素的病人，可能在一定时期内出现末梢神经溃烂的症状，这是人体重新平衡体内激素水平的表现。

二十一、腺体综合：内分泌失调

这些腺体之所以重要，因为它们是协调人体适应生存环境的器官。这些腺体就像各种开关，在不同的环境下，开启人体的不同生理功能，分泌的各种激素就像各种钥匙，激发不同的生命活动以适

只要给以足够的支持和时间，
人体没有什么不可能康复的疾病。

应生存环境。**能够适应环境便表现出健康的状态,不能适应环境便表现出疾病的状态。**所谓的生存环境就是我们的工作环境(工作强度、工作压力、工作节律等)、居住环境(阳光、空气、电磁辐射等)、饮食质量(食物、烹饪等)、人际关系、情绪等。这些腺体构成医学上所谓的内分泌系统,腺体分泌激素是受外界环境或生理需要影响的。**从生理学的角度看,所有的疾病都伴随着内分泌失调。这里我们要澄清一个观念,所谓的内分泌失调,**最初并非是这些腺体本身功能出现障碍,而是外部的刺激环境一直得不到改善,而呈现出来的激素水平异常。刺激持续不断最终结果就是腺体超负荷工作而崩溃,功能衰竭。就像天花板漏水,搞得地板老是很湿,要想地板不湿,最好的办法不是去把水擦掉,而是把天花板修好。因此**调节内分泌失调最好的办法便是解除刺激因素,减小腺体工作负担。**

二十二、类风湿性关节炎

【临床概述】

类风湿性关节炎是一种以慢性破坏性关节病变为特征的全身性自身免疫疾病。本病以双手、腕、膝、关节的对称性多关节炎为主。可伴有发热、贫血、皮下结节及淋巴结肿大等关节外表现,血清中可出现多种自身抗体。未经正确治疗的类风湿性关节炎可迁延不愈,甚至导致关节畸形。

【病理现象】

类风湿性关节炎的基本病理改变是滑膜炎。主要表现为滑膜的血管增生和炎性细胞浸润以及滑膜炎导致的滑膜、软骨乃至软骨下骨组织的破坏。同时患者可有皮肤及内脏血管的淋巴细胞浸润及纤维化组织形成。

【病理解析】

类风湿性关节炎表现出的滑膜炎病理，是人体清除积累在滑膜毒素的表现。炎症细胞的浸润不会造成滑膜、软骨及周围组织的损伤。这些损伤是因为没有及时补充材料，不能生长新的细胞造成的。

【新视角】

1. 类风湿性关节炎在医学上被冠以自身免疫疾病的帽子。所谓自身免疫疾病在医学上指的是机体免疫功能紊乱，攻击自身组织器官的一类病症，例如系统性红斑狼疮、类风湿热等。对于这类疾病的治疗通常会采取抑制机体免疫力的方法来缓解病情。但是这种抑制机体免疫力的治疗方法不仅无法减轻病情，反而会使得病情恶化。临床上这类药物治疗效果非常一般。按照常理来说，假如自身免疫疾病的病根在免疫系统本身的话，那么使用免疫抑制剂应该可以有疗效才对。但是疗效不明显，这说明自身免疫疾病的病根不在免疫系统本身。

在前面我们讨论过自身免疫系统形成的机制可能是机体为了

康复反应就像电影回放，在身体出现过的病症，
无论是年轻时还是最近出现的，都会在康复过程中重新再现。

清除难于去除的毒素，而牺牲部分自身组织的表现。以前看电影，经常可以看到有人被蛇咬了之后，假如没有解药可用，通常是要把被咬的部位所在的手或脚砍掉。这种镜头，可以给我们点启发来理解自身免疫疾病产生的根源。**人体是精明的系统，不会做任何无意义的事情。**毫无目的地攻击自身组织是不可能的，一定有其原因。所有被冠以"需要终生药物控制"的疾病都是在医学领域没有很好地发现病因的疾病或者是治疗方向值得推敲的疾病。

2. 关节部位积累毒素是免疫系统无法正常清除毒素的反应。前面关于毒素的描述我们知道，水溶性毒素不及时排泄易转移到滑膜等部位引起各类关节炎。

3. 类风湿性关节炎康复的关键是加强机体的排毒能力、增强机体的免疫力、提供足够的材料修复受损组织。很多被称为"慢性"、"自身免疫"类的疾病，在医学上难于被攻克，关键的问题在于病灶组织受损后一直得不到足够的材料来进行组织的修复。著者曾研究过各种各样疾病的病理报告，各种疾病虽然有不同的病理表现，但是都有一个共同的特点就是病灶部位的纤维化。纤维化代表的意义其实是病灶部位没有足够的材料进行修复，机体被迫采取的一种折衷的保护身体的办法。

医学上如果一直利用药物来控制症状，在一定程度上是延误战机的做法。大部分病人在症状被控制后，便以为病好了，病好了也就不再注意饮食，不注意休息。这样反而让身体不能得到足够的养分来修复受损部位，其实疾病一直都没有好过。就像有的人胃痛，吃药就不痛，不痛的时候就以为好了，但是一吃刺激的东西又会开始痛。胃痛从来都没有好过,只是痛的症状被控制了而已。但症状得到控制并不代表疾病完全康复。掩耳盗铃的故事相信大家都非常熟悉。偷铃的人以为,把自己的耳朵捂住铃声就不会再响。其实耳朵捂住确实可以不用听到铃声,但是不代表铃不会再响。掩耳盗铃的结果是铃还会继续响,自己则会被人抓住。药物控制症状的结果便是贻误战机,使得疾病在你毫不知情的情况下恶化。

【康复建议】

1. 补充 3 勺蛋白质粉:提高组织修复所需的氨基酸。

2. 补充 100 毫克天然 B 族维生素:加强肝脏的解毒能力,降低组织间肿胀。

3. 补充 1000 毫克天然维生素 C:强力的自由基破坏者,帮助减轻疼痛,缩短炎症反应期。

4. 补充 400 国际单位天然维生素 E:强力的抗氧化剂,保护关节免受自由基的破坏,增加关节灵活性。

5. 补充 15000 国际单位天然类胡萝卜素:有助于修复滑膜、软骨组织。

6. 补充 1500 毫克钙镁合剂:防止骨质丢失。

7. 补充天然硫酸葡萄糖胺:对骨骼、肌腱、韧带、软骨和滑膜液非常重要。

8. 补充 100 毫克辅酶 Q10:增加组织的氧气利用,帮助修补结缔组织。

对疾病和健康的错误认知,让你选择了错误的医疗方式,从而影响你获得真正的健康。

【康复预测】

类风湿性关节炎患者的康复周期为 2 年以上,在康复过程中可能出现关节疼痛、尿频、泌尿系统感染等症状,这些反应是身体排出积累毒素及组织修复的表现。

二十三、痛风

【临床概述】

痛风是嘌呤代谢障碍所致的一种异质性慢性代谢性疾病,其临床特点为高尿酸血症,反复发作的痛风性急性关节炎、间质性肾炎和痛风石形成;严重者呈关节畸形和功能障碍,常伴尿酸性尿路结石。

【病理现象】

痛风在临床上按自然病程可以分为四个阶段:无症状期、急性关节炎期、间歇期和慢性关节炎期。临床上一般仅在发生关节炎时才称为痛风。

在无症状期,仅有血尿酸持续性或波动性增

加,急性关节炎期主要发生在手指、脚趾等关节部位,数小时内出现红肿、热及明显压痛,关节迅速肿胀,伴发热、白细胞增多等全身症状,疼痛较剧烈,压痛明显。间歇期,是数月发作一次,有些患者终生只发作一次或相隔多年再发作。当痛风石在骨关节周围组织引起炎症性损伤,这时转

入慢性痛风性关节炎期。尿酸盐沉积在滑膜、肌腱和软骨组织中形成痛风石,痛风石形成过多和关节功能毁损造成手足畸形。

【病理解析】

痛风血尿酸持续性或波动性增加,使得肾脏排泄尿酸负担增加,肾脏排泄尿酸不及时,血尿酸转移到滑膜、肌腱和软骨组织中

形成痛风石,痛风石形成过多和关节功能毁损则造成手足畸形。免疫细胞清除受损的组织引发炎症,病情一直得不到缓解,于是转变成慢性关节炎。

【新视角】

1. 痛风病人要同时注意脂肪肝、糖尿病等疾病的倾向,在调整痛风的同时, 其实更重要的是调整机体的代谢能力以及调整饮食结构。这是痛风的根源所在。

2. 西方现代医学在痛风的预后中提到有 15% 的患者是死于肾功能衰竭,这部分的患者是怎么变成肾功能不全的呢?就是使用的药物无论是秋水仙碱还是其他药物,对肾脏的损伤都是非常大的。建议所有准备将药物放进口中的患者,在服用药物前,请阅读药物说明书,衡量一下得失。假如得不偿失的话,不妨寻求新的解决办法。本来尿酸的增加就已经增加了肾脏的工作负担,假如再使用药物的话,肾脏还必须排泄部分药物带来的毒素,严重加重肾脏的排泄负担。促进尿酸排泄的药物生产时的出发点是很好的。既然尿酸多,那么就加快排出,当然很合理。但是,在用药的时候我们必须很清楚,这些药物的使用同样会加重肾脏的排泄负担,假如我们非得使用这类型的药物的话,必须加大力度保护肾脏,这样才能保证肾脏不被损伤。但是很可惜,在临床上使用这类药物时,通常不会采取任何措施来保护肾脏,所以假如长期使用这类的药物的话,肾脏的功能必然会受到影响,严重的可能引起肾功能衰竭。

【康复建议】

1. 补充 3 勺蛋白质粉：提高组织修复所必需的材料、增强免疫力。

2. 补充 150 毫克天然 B 族维生素：增强肝脏功能，加强代谢脂肪、核蛋白的能力。

3. 补充 1000 毫克天然维生素 C：降低血尿酸含量，提高免疫力。

4. 补充 50 毫克锌：促进蛋白质的新陈代谢和组织修复。

5. 补充 400 国际单位天然维生素 E：强力的抗氧化剂，保护关节免受自由基的破坏，加关节灵活性，修复肾脏受损组织。

6. 补充 15000 国际单位天然类胡萝卜素：有助于修复滑膜、软骨组织，同时加强肾脏细胞的保护。

7. 补充 1500 毫克钙镁合剂：防止骨质丢失。

8. 炎症消除后期可适当补充天然硫酸葡萄糖胺：对骨骼、肌腱、韧带、软骨和滑膜液修复非常重要。

9. 补充必需脂肪酸：有益于修复组织，恢复健康，保持脂肪酸平衡。

10. 定期执行身体清洁计划。

【康复预测】

痛风病人的康复周期为 1 年左右，在康复过程中可能会出现关节疼痛，但是执行身体清洁计划后可以迅速得到改善。

康复反应的出现，需要你的智慧来判断病情是否在恶化。

附录一　我的朋友们

　　在和患者接触的过程中，大部分的人成了我的朋友。这些朋友的经历也许会对你有所启发，所以选部分记录在此，与读者分享他们的故事。

伟大的父爱——父亲的故事

　　在我刚刚开始健康咨询时，包括我大部分的亲人在内，几乎没有人愿意相信我的理论，因为与他们传统的观念冲突太多。在我苦闷之时，父亲决定让我帮他做调整。父亲身体一直不好，有多年的糖尿病和肺结核病史，我为他制定了方案。家人反对无效，于是决定给他三个月的时间让他执行方案。**刚刚执行时，身体没有什么反应，到第二周时，开始出现腹泻不止，血糖开始波动，身上开始长些小疙瘩，皮肤、手脚蜡黄，体重开始直线下降，在顶峰的时候整个人看起来就像干瘪了似的。**这时，家人开始不断有反对的声音，他的朋友也好心地担心他的身体是否出现了严重的病变，大家都劝他放弃，重新回到医院中接受治疗。但父亲说了一句让我非常感到的话："我儿子总不会害我吧，再坚持一下，不是还没到三个月吗？"就这样，父亲在众人议论纷纷以及身体出现的各种不适症状的困扰下坚持了下来。**两个多月过去的时候，父亲的身体自我感觉开始良好，最明显的是肠胃功能改善后，从年轻时候开始的大便溏稀没有了，另外蒙在脑袋上的那层油好像被揭开了，脑袋感觉恢复到了年**

轻时的清晰，虽然人还是很瘦，脸色还是很黄，但是不断有好的反应表现出来，他自己开始变得有信心。如果当初他决定调养并坚持执行方案是出于父爱对我事业的支持的话，那么他此时的信心便是自身真的改善后建立起来的。这时候的他，开始反驳家人的反对声音，而且理直气壮告诉他们现在自己的感觉有多好。三个月过去后，他到医院去做检查，奇迹般地发现肺部及其他脏器的轮廓清晰，肺部的结核居然康复了，此时的血糖不服用任何降糖药时也能控制在 5.7 左右，这对他来说便是天大的好消息，家人呆了，朋友们也呆了，困扰多年的疾病，居然就这样好了。我为父亲重新制定了休养的方案，直到一年之后他的体形、肤色恢复了正常的状态。

父亲以伟大的父爱，挑战了很多不可能的事情。现在他可以健康地生活，这是作为子女最能感到欣慰的地方。而我因为父亲的尝试，踏出了艰难的第一步。踏上现在的路途，应该感谢父亲。

好人好报——李总的故事

李总是大连一家投资公司的老总，一位非常成功的女性，事业很忙，人很好。她一开始来见我并不是因为她想自己调养身体，而是为了她恶疾缠身的姐姐。她的姐姐被大肠炎困扰了很多年，什么方法都试过了就是不能有所改善。李总心疼姐姐便带她来见我，我帮她制定了方案，不过不久便听说她姐姐因为反应过于剧烈而放弃了继续执行方案。我当时也没有太在意这件事，等我两个月之后再到大连的时候，李总自己再来见我，见到我的样子就好像见到救命恩人一样，那高兴劲把我吓了一跳。原来在她身上发生了意想不到的收获,在她姐姐放弃执行方案时,李总觉得把那些营养素扔掉怪可惜的,心想反正是保健品,不如自己也吃吧,于是咨询了我在大连的助手,调整了一下方案,自己便开始服用这些营养素。没想到一个多月后,去做妇科检查时,检查结果差点让她跳起来,困扰了她九年的妇科病,现在康复了。为她检查的医生不相信她曾经有过妇科问题,直到李总把带去的病历给他看完后,医生也吃惊,说了两句话"你是怎么好的?不可思议",李总也很风趣地说"不知道,糊里糊涂就好了"。她为了治好自己的妇科,曾经在一天之内乘飞机来回北京和大连之间看名医,吃好药,什么名医看过后,妇科问题还是不屈不挠地跟随了她九年, 现在终于好了, 难怪她那么高兴。她还描述了许多这两个月来的趣事,例如她的口腔溃疡,在服用营养素一个星期后全面恶化,吓得她半死,以为吃坏了身体,好在她没有自己停下来,而是咨询了我的助手,当弄清楚了是怎么回事之后,她坚持了下来,在妇科病康复的同时她的口腔溃疡也彻底好了。

其实李总的病情很简单,体内积累了一些脂溶性的毒素,黏膜系统成了排毒的通道,她曾经有过鼻炎,刚开始出现的时候,在医院治好了,鼻炎治好后便开始出现口腔持续性溃疡,她想尽办法也没能把口腔溃疡治好,随后便开始有了妇科炎症,也没有能治好。她身上病症的共同特点是黏膜系统不断出现炎症, 这是身体排脂溶性毒素的信号, 我们支持身体的这一排毒动作的话便可以很快恢复健康,但是假如不断利用药物去压制这些炎症的话,那么身体无法顺畅地排毒,所以会不断地发病,即使你用药物控制了一处的炎症,那么可能也会有其他地方的炎症要发生。

李总的好心,让自己有了一个康复的机会,她的坚持,则让她获得了健康。好人好报!

可爱的妇人——亚当前妻

这位亚当前妻是一位朋友网络上的名字,遇到她是个偶然。她闯进了我的空间,说是要咨询问题。我给了她一些时间,她说自己有个很不好的习惯,在例假来的时候就喜欢拔自己的头发,已经到了要戴假发的地步。看着她可爱的样子,我给了她建议。好久没有联系后突然一天她又出现了,她兴奋地说头皮不痒了,已经开始没有再拔的冲动了。

她尝试过看心理医生、也尝试过秘方和江湖医生,只是还忍不住要拔头发。我建议她执行一下清洁方案,应该会有帮助的。后来她告诉说,执行的时候,咳了很多痰出来,五颜六色的,牙龈也不断红肿,还有很多她记不得的问题折磨她。可喜的是她能坚持下来。

她又是一位毒素积累的受害者,体内很多的病症,当体内毒素清除后,这些病症便随之消失了。

痛并快乐着:途乐的康复之旅

在我的所有朋友中,途乐(一个朋友的网名,因爱旅游,所以自名为"途乐",非常出色的女性,在一家日资企业做财务次长)的康复过程是最艰辛的。

从接受调养开始的第一天她的身体便开始出现剧烈的反应,令她痛不欲生,不过连我都在佩服她的毅力,做大事的人就是不一样,即使痛得咬牙切齿也坚持了下来。到现在我倒忘了她是从左边还是从右边脚开始疼,按照一条有趣的线路,从脚开始然后到手,到头部,到另外一个手,再到另外一个脚身体痛了一圈,然后是全身肌肉不规则地痛。就连高中考大学时用功过度落下的偏头痛也重新再现了几天。朋友们都在笑她也都很佩服她。除了疼痛,另一个明显的症状就是手脚偏黄,还不断地爆皮。

途乐身上曾经发生过乳腺增生同时有过敏史,在调养的过程中,我发现她体内不仅积累了大量的脂溶性毒素,水溶性毒素也不少,体内同时积累两种毒素的现象比较少见。所以在体内将毒素排放的过程中,她身体不断疼痛,同时肤色不断在红黄白青之间变化,这是一个有趣的过程。

途乐可贵的地方在于愿意承受痛苦,本来在没有接受调养之前,她只是觉得自己处于亚健康状态,并没有觉得自己身体有多大的问题。不过调养开始后便受尽折磨,要是一般人早就放弃了。谁也不愿意好好地身体,突然之间多了那么多问题。其实康复就像捅马蜂窝,不去捅它,那些蜜蜂也不会来招惹你,但是假如你敢动手的话,便有你好受的。

向途乐致敬!

爱美的主席——张主席的故事

张主席是个形象非常好的女性,在大连某区担任工会副主席,一个非常能干的女性,同时也很心急,爱美之心也是不同一般的女性。单位体检的时候,医生告诉她有甲亢,这个结果可把她吓坏了。甲亢不就是大脖子吗？想到自己大脖子的样子,张主席便无法忍受,所以到处求医,但是那该死的指标就是不显示正常,可把她急坏了。辗转地找到我之后,帮她定制了方案。一执行,麻烦事来了,脸开始黄,还不时起些疙瘩,四十多岁的人了,同事开始吓唬她,搞得她开始动摇。不过还好决定放弃之前她都会和我联系,联系完之后又有了信心,然后不到一个星期又来电话,因为又被打击了。就这样反反复复过了三个月,单位再体检的时候,发现 T3、T4 的指标正常了,这下开心了！

好消息,坏消息

每天都有来自不同地方的消息传来,有朋友们康复的消息,也有朋友们在康复过程中遭受痛苦的消息,也有朋友们放弃的消息。好的消息,坏的消息,成为我生活中的一部分。我运用自己的方式去尽心支持与我有缘分的朋友,有些人奇迹般地康复了,有些人并没有得到好的结果。当然,我提供了每一次康复的机会和理由,但是他们假如不懂选择和坚持,那么可能什么也得不到。方法依然还是方法,而你的健康,可能在岁月消逝中不断地被磨损,直至耗光。这里我无法将所有朋友的故事都拿出来分享给大家,只希望有缘看到本书的朋友,从现在开始也会远离疾病,与健康有缘！

附录二　人体所需要的部分材料

一、氨基酸

氨基酸是构成蛋白质的化学单位,或通常被称为堆砌砖。没有适当的氨基酸组合,蛋白质无法存在。要了解氨基酸的重要性,必须先了解蛋白质对生命的必要性。所有的生物,其结构主要是由蛋白质提供。从最大型的动物到最渺小的微生物,都是蛋白质构成的。而且,蛋白质以不同的形式,参与维持生命的重要化学反应。

人体中的肌肉、韧带、肌腱、器官及体液(胆汁与尿液除外)等均由蛋白质构成。骨骼生长发育必需的蛋白质、酶、激素、基因等,也都包含各式蛋白质。蛋白质在人体的比重仅次于水。因此,可想而知为什么符合身体对蛋白质的需求对健康是如此重要。

为了制造一个完整无缺的蛋白质,必须含有各种构成此蛋白质的氨基酸。各种氨基酸几乎可以无限地连结成50000种不同的蛋白质及20000种已知道的酶。因为每一种蛋白质是由不同的氨基酸组成,每一种蛋白质都有特定的任务,因此它们彼此不能互换。氨基酸含有大约60%的氮。这使它们在体内与糖类及脂肪有别。

中枢神经系统不能没有氨基酸,它们是神经冲动的传导物或传导物的前身。这些神经冲动的传导物是大脑接收及传送讯息所必备的。除非所有的氨基酸同时出现,否则几乎任何差错都可能发生于讯息的传送。

　　常见的氨基酸有大约 29 种,它们构成存在于各生物体内许多种不同的蛋白质。人体内,肝合成 80%的氨基酸。剩下 20%必须由体外的来源获得。必须由饮食中获得的氨基酸称为必需氨基酸。这些包括精氨酸、组氨酸(针对婴儿和儿童)、异亮氨酸、亮氨酸、赖氨酸、甲硫氨酸、苯丙氨酸、苏氨酸、色氨酸、缬氨酸。其他身体几乎能从其他来源制造的氨基酸包括丙氨酸、精氨酸、天门冬氨酸、天门冬酰胺、谷氨酸、谷氨酰胺、甘氨酸、脯氨酸、丝氨酸。

　　大部分的氨基酸(甘氨酸除外)能以两种形式出现——两者互为镜像。它们分别被称作 D-系统与 L-系列。因为 L-系列的氨基酸与发现于植物或动物组织内的氨基酸同型,L-系列的氨基酸被认为与人体的生化反应相容。构成一种蛋白质的氨基酸都属于 L 型(除了苯丙氨酸以外,它可以 DL-苯丙氨酸的形式出现)。

　　氨基酸组成蛋白质或蛋白质分解为氨基酸以利体内持续进行的反应。当我们需要一点酶蛋白质,身体便制造多一些酶蛋白质;当我们需要多一点细胞,身体便制造更多的蛋白质给细胞。身体依不同的需要产生不同类的蛋白质。万一体内库存的某一必需氨基酸耗尽了,身体将无法制造需要此氨基酸的蛋白质。这导致蛋白质缺乏,容易引起各种疾病。

　　如果饮食不均衡,也就是必需氨基酸的含量不足,身体就会产生毛病。如果一个人因消化不良而患蛋白质缺乏症,还会产生其他的症状。为了避免这些问题,我们得确定饮食均衡,或可以服用含必需氨基酸的营养补充品。

　　除了其他重要功能, 氨基酸还使维生素及矿物质适当地执行它们的任务。虽然维生素及矿物质能迅速地吸收利用,但除非氨基酸在场,否则也无法生效。

每一种氨基酸都有它特定的功能,且是预防各种症状发生所需的物质。下面将介绍 28 种氨基酸的功能及其缺乏症。为了治疗毛病而单独服用氨基酸时,要空腹服用,以避免与其他氨基酸竞争。氨基酸会彼此竞争进入脑部。

L-丙氨酸

L-丙氨酸是协助葡萄糖代谢的氨基酸,葡萄糖是提供身体能量的一种单糖。

L-精氨酸

L-精氨酸阻碍肿瘤及癌细胞的生长、帮助肝脏解毒、有助于生长激素的分泌及健康免疫系统的维持、去除氨的毒性、增加男性的精子数目及有助于肾脏疾病与外伤的痊愈。伤口复原时的淤痕组织有大量的精氨酸。此精氨酸是蛋白质合成及正常发育所需的。L-精氨酸存在时,会增加肌肉的分量,减少体内的脂肪。它有助于胶原蛋白的生成,且有益于肝硬化及脂肪肝等肝病。但妇女怀孕、哺乳时,应该避免摄入过量的 L-精氨酸。

L-天门冬酰胺

维持中枢神经系统的平衡,需要 L-天门冬酰胺,使你免于过度紧张或过度镇定。

L-天门冬氨酸

因为 L-天门冬氨酸能增加活力,对消除疲劳颇佳。慢性疲劳可能是因细胞能量减低使天门冬氨酸的含量也减低造成的。这种氨基酸也借由协助消除过多的氨,以保护肝脏。L-天门冬氨酸与其他氨基酸结合所形成的分子能吸收毒素并将它们由血液中消除。它协助细胞运作及 RNA/DNA 的形成。

L-肉碱

L-肉碱帮助长链脂肪酸的运输。由于可预防脂肪堆积,此氨基酸协助减轻体重、减低患心脏疾病的几率及改善运动机能。如果有足量的赖氨酸、维生素 B_1、维生素 B_6、铁质,体内也可以自制肉碱。由于素食中赖氨酸的含量低,素食者比较容易缺乏肉碱。肉碱也增强维生素 E 与维生素 C 的抗氧化效用。

L-瓜氨酸

L-瓜氨酸促进能量的制造、刺激免疫系统、去除会损害活细胞的氨毒。瓜氨酸在体内将代谢成精氨酸。

L-半胱氨酸

L-半胱氨酸含高量的硫。此氨基酸是在体内由 L-甲硫氨酸转变成的；然而，这过程必须有维生素 B_6 的参与。L-半胱氨酸帮忙消除有毒物质以保护细胞。半胱氨酸是 L-谷胱甘肽的前身。身为最佳自由基破坏者的一员，当与硒及维生素 E 一起服用，半胱氨酸能发挥最大功力。除了保护细胞免受辐射作用之害，它还保护肝及脑不受烟酒之害。治疗风湿性关节炎，不妨补充一些 L-半胱氨酸，它有螯合性，能与铜结合，将体内过多的铜排出。此氨基酸也能促进脂肪燃烧及打造肌肉。

L-半胱氨酸能破坏呼吸道的黏液，有益于治疗支气管炎、肺气肿、肺结核等。

L-半胱氨酸相当稳定，且容易转变为 L-胱氨酸。

L-胱氨酸

L-胱氨酸与 L-半胱氨酸一样含高量的硫。它协助皮肤的形成，且对解毒作用是很重要的。借由减低身体吸收铜，胱氨酸保护细胞免于铜毒。此氨基酸是治疗烧伤及手术后的伤口不可或缺的。它有助于治疗呼吸道的疾病，例如支气管炎，且在抵抗疾病的白细胞活动上扮演重要角色。它辅助胰岛素的供给。

γ-氨基丁酸

γ-氨基丁酸，以下简称 GABA，可防止细胞过度兴奋，具有一定的镇静作用，并无副作用。现在医界正推荐以 GABA 取代很多种药。与烟酰胺及肌醇合作，GABA 借由与它的受体部位结合，可防止焦虑与紧张等相关信息传入运动神经中枢。GABA 借由减低神经细胞的活力,在中枢神经系统里担任神经冲动的传导者。

L-谷氨酸

L-谷氨酸增加神经冲动的传导。它代谢糖、脂肪,且当与谷酰胺合用时,能解除氨毒。此氨基酸也帮忙纠正性格上的毛病。除了葡萄糖,谷氨酸是唯一作为脑部燃料的化合物。脑细胞转变谷氨酸成为一种调节脑细胞活力的化合物。

L-谷酰胺

L-谷酰胺在酒精中毒、嗜吃甜食、性无能、疲劳、癫痫、衰老、精神分裂症、智障、肠胃溃疡及维持健康的消化系统等方面,都很重要。它在脑部被转为 X 氨酸,这是大脑功能不可缺乏的物质,且 L-谷酰胺提高 GABA 的需要量。

L-谷胱甘肽

L-谷胱甘肽是抑制自由基形成的强抗氧化剂。它抵抗抽烟与辐射带来的损害、帮助减轻化学疗法及 X 光的副作用及对抗酒精的毒性。身为金属及药物的解毒者, 它协助血液及肝脏疾病的治疗。

L-甘氨酸

L-甘氨酸借由供应更多的肌酸,延缓肌肉的退化。它是中枢神经及前列腺必需的氨基酸。它的抑制作用有助于预防癫痫。这种氨基酸已用于治疗两极性抑郁症。L-甘氨酸是免疫系统合成非必需氨基酸所需之物。过量的甘氨酸会取代新陈代谢过程中的葡萄糖,并导致身体疲劳。过量的甘氨酸产生比较多能量。

L-组氨酸

L-组氨酸对生长、组织修护、溃疡、胃酸过多、消化及胃液等均有重要作用。治疗过敏、风湿性关节炎、贫血等病,及制造红细胞、白细胞,都需要此氨基酸。组织胺是由组氨酸形成的,且通常被析出细胞,作为一种免疫反应。

L-异亮氨酸

异亮氨酸是形成血红蛋白必需的,且它稳定并调节血糖与能量的含量。它在肌肉组织内被代谢。服用此氨基酸时,要经常与亮氨酸及缬氨酸保持适当的平衡。缺乏 L-异亮氨酸可导致类似低血糖的症状。

L-亮氨酸

L-亮氨酸降低上升的血糖浓度。它必须与异亮氨酸、缬氨酸均衡地服用。此重要氨基酸促进骨头、皮肤、肌肉组织的修复。这是开刀后的复原者应该摄取的补充品。适量地服用亮氨酸才不会产生低血糖症。

L-赖氨酸

身为所有蛋白质的必要成分，赖氨酸是孩童正常生长与骨骼发育所需的。它帮助成年人吸收钙质及维持氮的均衡。此氨基酸的许多功能之一是抵抗感冒疮及疱疹病毒；它还能协助抗体、激素、酶的制造，及胶原蛋白的形成与组织的修补。因为它帮助制造肌肉蛋白质，故它对那些刚开刀过及运动伤害的复原者尤其重要。它也减低血清脂肪。

缺乏赖氨酸会造成体力衰弱、注意力不集中、暴躁易怒、眼睛充满血丝、脱发、贫血、生长受阻及生殖方面的毛病。

L-甲硫氨酸

L-甲硫氨酸无法在体内形成，必须由食物或营养补充品中获得。除了是矿物质硫的好来源，L-甲硫氨酸对治疗风湿性热及怀孕引起的毒血症很重要。它辅助脂肪分解，预防肝及动脉的脂肪堆积，脂肪会阻碍血流到脑部、心脏及肾脏。此氨基酸有助于促进消化系统功能、与其他物质作用以解除有害物质的毒性、帮助衰竭的肌肉恢复功能及预防头发变脆，而且对化学过敏与骨质疏松症也有益处。半胱氨酸及牛磺酸在体内合成时，可能需要依赖甲硫氨酸。

我们的身体可利用 L-甲硫氨酸来衍生一种大脑的养分叫胆碱,在饮食中应补充胆碱或卵磷脂(此物富含胆碱),使体内的 L-甲硫氨酸不至于被耗尽。

L-鸟氨酸

L-鸟氨酸有助于释放一种生长素,此激素与 L-精氨酸及 L-肉碱结合时, 能代谢过多的体脂肪。它是免疫系统及肝脏不可或缺的,它也能解除氨毒并促进治疗。请勿给孩童使用此营养补充品,除非根据医师开的药方。

L-苯丙氨酸

L-苯丙氨酸通常用来治疗抑郁症。它产生各种神经冲动传导物、被大脑用来制造正肾上腺素以及协助记忆、学习、防治肥胖症。因作用于中枢神经,这个氨基酸使人心情飞扬,消除抑郁,而且能减轻偏头痛、经痛、关节炎痛等。

L-苯丙氨酸不能用于孕妇或那些患有精神焦虑、血压高、苯酮尿症,黑素瘤等患者。

DL-苯丙氨酸

DL-苯丙氨酸在控制疼痛方面,尤其是关节炎痛,非常有效。它是所有氨基酸的组成单位、增加心理上的警觉性、抑制食欲、及有助帕金森氏症的治疗。但孕妇、糖尿病、高血压、抑郁症患者慎用。

L－脯氨酸

L–脯氨酸借协助胶原蛋白的制造,改善皮肤的质地。它也修复软骨组织、强化关节、肌腱及心肌。

L－丝氨酸

L–丝氨酸对脂肪与脂肪酸的新陈代谢、肌肉生长及免疫系统等都是需要的,它也辅助免疫球蛋白及抗体的制造。

L－牛磺酸

心肌、白细胞、骨骼肌及中枢神经等均可发现高浓度的牛磺酸。此氨基酸帮助防治脂肪消化、心脏毛病、低血糖症、动脉管壁硬化、高血压及水肿。它是胆汁主要的成分,胆汁帮助消化脂肪、吸收脂溶性维生素及控制血清的胆固醇。癫痫、抑郁、过动及大脑功能不良等症均与缺乏牛磺酸有关。

大部分的动物蛋白质不含牛磺酸;因此,势必由身体自行合成。牛磺酸能由半胱氨酸合成,但转换时需要维生素 B_6。

L－苏氨酸

L–苏氨酸帮忙维持体内蛋白质平衡。它对胶原蛋白及弹性蛋白的合成很重要, 而且当它与 L–天门冬氨酸及 L–甲硫氨酸结合时,能协助肝功能。心脏、中枢神经、骨骼肌均有此氨基酸。此氨基酸可协助控制癫痫突然发作。

L-色氨酸

烟酰胺的制造必须依靠 L-色氨酸。它能改善失眠症、帮助稳定情绪,而且被脑部用来制造血清素,这是一种必要的神经冲动传导物及使人正常睡眠的神经激素。它帮助控制孩童的过度活跃、减轻压力、对心脏很有益、协助控制体重、促进制造维生素 B_6(吡哆醇)所必需的生长激素分泌。足量的维生素 B_6 是形成色氨酸所必需的,而色氨酸是形成基色胺的必需物。

L-酪氨酸

L-酪氨酸帮助焦虑、抑郁、过敏头痛等症的治疗。它辅助黑色素(皮肤和头发的色素)的制造,及肾上腺、甲状腺与脑下垂体的功能。血浆中含低量的酪氨酸一直被认为与甲状腺机能衰退有关。它使心情愉快、抑制胃口、减少体脂肪。它在肝中参与苯丙氨酸的初步分解。L-酪氨酸可由 L-苯丙氨酸转变而成。缺乏酪氨酸会促使大脑某部位缺乏肾上腺素,缺乏者将造成抑郁症及情绪上的毛病。除了是肾上腺素的前身,L-酪氨酸还用于合成多巴胺(dopamine),同时它一直被用来戒除毒瘾。

L-缬氨酸

L-缬氨酸有刺激作用。缺乏时,会导致身体的氢不平衡。与亮氨酸及异亮氨酸一起使用,可促进肌肉新陈代谢、组织修复及氮平衡。

二、维生素

维生素是生命必需的化合物。借由调节代谢及辅助已消化的食物进行生化反应并释放能量,维生素对身体的健康奉献良多。它们之所以被视为微量营养素,是因为与碳水化合物、蛋白质、脂肪及水等营养成分比较起来,身体对维生素需要的量要少得多。

维生素主要分成两种,一种是水溶性,另一种是脂溶性。水溶性维生素必须每日摄取,因为它们无法贮存于体内,而且在1~4天内会被排出体内。这些维生素包括维生素C以及B族维生素。脂溶性维生素则能在体内的脂肪组织及肝脏贮存较长的一段时间。这些包括维生素A、维生素D、维生素E、维生素K。上述两类维生素均已其适当的功能被身体所需要。

维生素A(β-胡萝卜素)

这种补充品预防夜盲症及其他眼疾和一些皮肤毛病,例如粉刺。它增强免疫力,也可能治疗消化道溃疡、防止呼吸系统受污染及癌细胞形成,表皮组织的维护也需要它。它有助于维护骨骼、牙齿发育,协助脂肪贮存,防御感冒及感染。维生素A扮演一个抗氧化剂的角色,它防止细胞发生癌症及其他疾病,也能减缓老化的速度,身体利用蛋白质也得靠它帮忙。

富含β-胡萝卜素的食物被摄取,它们会在肝脏被转变成维生素A。根据近来研究报告,β-胡萝卜素有助于防治癌症。多食β-胡萝卜素无大碍,虽然皮肤可能因此稍呈橘黄色。

[来源]

鱼肝油、动物的肝脏、绿色黄色的蔬果中均含有维生素 A。富含维生素 A 的食物包括杏果、芦笋、甜菜、西兰花、香瓜、胡萝卜、蒲公英叶、鱼肝油、肝脏、甘蓝、芥末、木瓜、香菜、桃、红椒、番薯、菠菜、螺旋藻、南瓜、水田芥。

[注意事项]

肝脏有毛病的人不应该摄取大量的维生素 A 药丸或鱼肝油，孕妇要避免超过 25000 国际单位的用量。小孩若服用维生素 A 一个月以上，应避免超过 18000 国际单位的日取量。抗生素、通便剂及一些降低胆固醇的药物会干扰维生素 A 的吸收。

糖尿病患者与甲状腺机能衰退者要避免摄入 β-胡萝卜素，因为他们无法将它转变成维生素 A，以供身体利用。

B 族维生素

B 族维生素有助于维护神经、皮肤、眼睛、头发、肝脏、口腔的健康及消化道的肌肉色泽。B 族维生素主要是产生能量的反应中充当辅酶，而且也可能有助于消除忧郁及焦虑。这些 B 族维生素应该一起服用，但其中有好多种可以单独服用以治疗某种疾病。

维生素 B_1 (硫胺素)

维生素 B_1 促进血液循环并辅助盐酸的制造、血液的形成及糖类代谢。维生素 B_1 对能量代谢、生长障碍及学习能力均有影响,且有助于肠、胃、心脏肌肉组织的健全。

[来源]

干豆、糙米、蛋黄、鱼、内脏(肝)、花生、豌豆、猪肉、家禽肉、米糠、大豆、小麦胚芽、全麦等谷物。其他来源有芦笋、西兰花、甘蓝、菜芽、各种核果、燕麦、干李、葡萄干。

[注意事项]

抗生素、硫胺药剂、口服避孕药可能会减低体内维生素 B_1 的含量。高糖类的饮食会增加维生素 B_1 的需求。

维生素 B_2(核黄素)

核黄素,俗称维生素 B_2,对红细胞的形成、抗体的制造、细胞呼吸作用及生成是必要的。它减轻眼睛的疲劳,且能预防及治疗白内障。它辅助糖类、脂肪、蛋白质的代谢,与维生素 A 合用,维生素 B_2 能维持并改善消化道的黏膜组织。维生素 B_2 也帮助身体组织 (皮肤、指甲、头发)利用氧气、去除头皮屑及协助铁、维生素 B_6 的吸收。缺乏维生素 B_2 的症状包括嘴角破裂与生疮。

[来源]

豆腐、乳酪、鸡蛋、鱼肉、牛奶、鸡肉、鸭肉、鹅肉、菠菜、发酵乳。其他来源有芦笋、李、西兰花、甘蓝、菜芽、醋粟、核果。

服避孕药及费力的运动均会提高对维生素 B_2 的需求。维生素 B_2 容易被光、烹饪、抗生素及酒精破坏。

维生素 B_3

维生素 B_3 是促进血液循环及皮肤健康所必需的。它也协助神经系统运作以及糖类、脂肪、蛋白质的代谢和制造消化系统所需的盐酸。维生素 B_3 减低胆固醇并改善血液循环，也对精神分裂症及其他心理疾病的治疗有效用。

[来源]

牛肉、西兰花、胡萝卜、乳酪、玉米粉、鸡蛋、鱼、牛奶、猪肉、马铃薯、番茄及全麦。

[注意事项]

服用维生素 B_3 会引起无害的潮红、发热现象，皮肤会出现疹子，且有刺痛的感觉。孕妇、痛风、胃肠溃疡、青光眼、肝病、糖尿病患者避免使用大量的维生素 B_3。

泛酸 (维生素 B_5)

以消除紧张著称的泛酸，参与肾上腺激素的生产、抗体的形成、协助维生素的利用、协助维生素的利用及转化脂肪、糖类、蛋白质成能量。肾上腺制造类固醇及皮质酮时也需要泛酸。它也是辅酶A 的必要元素。体内所有的细胞均需要它，它主要集中在各器官内。维持消化道正常功能及治疗忧郁与焦虑，均需要此维生素。

[来源]

豆类、牛肉、鸡蛋、咸水鱼、母奶、猪肉、新鲜蔬菜及全麦。

[注意事项]

目前为止，还没有文献记载服用泛酸会产生副作用。

维生素 B_6(吡哆醇)

吡哆醇，俗称维生素 B_6，涉及的身体功能比其他任何一种营养素都多。它对身体及心理的健康均有影响。它有助于解决体内水分滞留带来的不适。胃中盐酸的制造及脂肪与蛋白质的吸收均需要维生素 B_6。此外，它也协助维持体内钾、钠离子平衡，并促进红细胞形成。维生素 B_6 可维持神经系统及大脑的正常功能，而控制细胞分裂及生长的核糖核酸(RNA)与去氧核糖核酸(DNA)等遗传物质的合成亦不可缺少维生素 B_6。它活化多种酶，并辅助维生素 B_{12} 的吸收、免疫系统的功能及抗体的产生。维生素 B_6 同时在癌症免疫性及动脉硬化症扮演着角色。它能抑制高半胱氨酸的有毒化合物的形成。高半胱氨酸会攻击心肌，并使胆固醇在心肌附近沉积。维生素 B_6 也可能有利于防止草酸盐引起的肾结石，并充当一种温和的利尿剂。维生素 B_6 能减轻经前期综合征症状，同时有助于过敏症、关节炎及哮喘的治疗。

[来源]

所有食物中或多或少均含有维生素 B_6。下列各种食物含量最高：啤酒酵母、胡萝卜、鸡肉、鸡肉、蛋、鱼、鱼类、豌豆、菠菜、葵瓜子、核桃、小麦胚芽。其他维生素 B_6 含量较低的来源包括酪梨、香蕉、豆类、糖蜜、糙米及其他全麦谷类、甘蓝菜、香瓜。

[注意事项]

兴奋剂、动情激素、口服避孕药会增加身体对维生素 B_6 的需求。

维生素 B_{12}（氰钴胺）

维生素 B_{12} 可以抗贫血。它帮助细胞形成及维持细胞的生命。适当的消化及吸收作用、蛋白质合成、糖类与脂肪的代谢需要维生素 B_{12}。除此。它也预防神经受损、维持生育能力、促进正常的生长与发育。

吸收不良会引起维生素 B_{12} 的缺乏，这最常见于老年人及消化系统有毛病者，素食者也比较易患维生素 B_{12} 的缺乏症。其症状包括走路畸形、丧失记忆力、幻想症、眼疾、贫血及消化不良毛病。

[来源]

富含维生素 B_{12} 的食物有蓝酪、乳酪、蚌蛤、蛋、肾、肝、鲭、牛奶、海鲜、豆腐。蔬菜中不含维生素 B_{12}；维生素 B_{12} 仅能由动物性食物获得。

[注意事项]

　　抗痛风药、抗凝血剂及钾补充品,均可能阻碍消化道内维生素 B_{12} 的吸收。素食者需补充维生素 B_{12},因为它主要含在动物性的来源。

生物素

　　生物素协助细胞生长、制造脂肪酸、代谢糖类及蛋白质,且有助于其他 B 族维生素的利用。维护头发与皮肤健康需要充足的生物素。对某些男性,它能防止头发脱落。生物素也促进汗腺、神经组织及骨髓的健康。它能在小肠中由细菌合成。

[来源]

　　熟蛋黄、咸水鱼、肉类、牛奶、鸡、鸭、鹅肉、大豆、全麦等谷类、酵母。

[注意事项]

　　生蛋白含有一种蛋白质叫卵白素,它在小肠中会与生物素结合,影响身体对此营养素的吸收。婴儿常患一种皮肤病叫脂溢性皮肤炎,会使头皮或脸部出现干燥的鳞状物,这可能因缺乏生物素而引起的。食用腐败的油脂会抑制生物素的吸收。使用磺胺剂及抗生素均威胁到生物素的利用性。

胆碱

神经冲动的传导、胆囊的调节、肝功能及卵磷脂的形成均需要胆碱；它消除肝脏过多的脂肪、协助激素制造，且是脂肪与胆固醇代谢所必备的。没有胆碱，大脑功能与记忆皆会受损。胆碱对神经系统方面的疾病如帕金森氏症及续发性的运动障碍均有益处。缺乏胆碱可能引起肝脏脂肪堆积。

[来源]

蛋黄、豆类、肉类、牛奶、全麦等谷物。

[注意事项]

至今，无文献记载服用胆碱会产生副作用。

叶酸碱

被视为大脑食物的叶酸，对制造能量及形成红细胞都是必要的。在 DNA 合成的过程中，叶酸扮演辅酶的角色，这对正常的细胞分裂与复制是很重要的。它涉及蛋白质代谢，并一直被拿来预防及治疗叶酸贫血症。它也有助于消除忧郁及焦虑，且对子宫颈发育不全的治疗可能有效。叶酸帮忙调节胚胎神经细胞的发育，使它们正常生长与发育。与维生素 B12 结合时，叶酸最能发挥功用。舌头红、痛是缺乏叶酸的症状之一。

[来源]

大麦、豆类、肉类、米糠、啤酒酵母、糙米、乳酪、鸡肉、枣椰果、绿叶菜类、羊肉、扁豆、肝脏、牛奶、柳橙、内脏、豆荚、猪肉、根菜类、小麦胚芽、全麦等谷类、酵母。

[注意事项]

口服避孕药可能会增加叶酸的需要量。患有激素相关的癌症或痉挛，都应避免长期使用高剂量的叶酸。

肌醇

肌醇对毛发生长很重要。它有助于预防动脉硬化，且对卵磷脂的形成及脂肪、胆固醇代谢都很重要。它也帮忙消除肝脏的脂肪。

[来源]

水果、蔬菜、全麦等谷物、肉类、牛奶。

[注意事项]

饮用过量的咖啡因可能导致体内缺乏肌醇。

对氨基苯甲酸 (简称 PABA)

PABA 是叶酸基本的组成之一,且它帮助泛酸的利用。这个抗氧化剂帮助预防太阳晒伤及皮肤癌。在蛋白质的分解及利用上扮演辅酶一角,也协助红细胞形成。如果因压力或营养不良而长白头发,服用 PABA 能帮助头发回复原来的颜色。

[来源]

肾脏、肝脏、糖蜜、全麦等谷物。

[注意事项]

磺胺剂可能引起 PABA 的缺乏。

维生素 C (抗坏血酸)

维生素 C 是组织生长及修补、肾上腺功能、健康牙龈必需的抗氧化剂。它预防有害的感染及癌症,也能增强免疫力。它也可能降低胆固醇及高血压,还能预防动脉硬化。胶原蛋白形成所必需的维生素 C,能防止血栓及淤血,并促进伤口复原及神经紧张的激素的制造。它也协助干扰素的形成,且帮助叶酸、酪氨酸、苯丙氨酸的代谢。

近来的研究证实维生素 C 与维生素 E 会相互合作,也就是,当他们在一起时,能发挥比当它们分开时还大的功能。维生素 E 负责消除细胞膜上危险的自由基, 维生素 C 则负责打断体液内的自由基链。这两种维生素均大大地扩展体内抗氧化作用的范围。

酯化维生素 C 是一大突破，尤其对那些慢性病患者诸如癌症及艾滋病(AIDS)。这种酯化维生素 C 最先是由医学博士 Jonathan Wright 研究，他证实使用这种酯化维生素 C，可以使白细胞内维生素 C 的含量提高四倍，而且仅有三分之一的量会经由尿液排出体外。因为人体无法制造维生素 C，一定得靠食物或营养补充品获取。大部分摄取的维生素 C 会经由尿液流失。当生病需要较多量的维生素 C 时，用静脉注射的方式比口服还有效。但只能在医生建议及指导下，才能这么做。酯化维生素 C 进入血液及组织的速率比普通维生素 C 快 4 倍，而且也能较有效率地进入血细胞。这是有利于免疫系统的一大突破。

Ester C (酯化维生素 C) 含有天然的矿物质，能增快吸收的速度。这些矿物质包括钙、镁、锌、钠。借由特化作用，能制造出特定矿物质的中性酯化维生素 C。

[来源]

蔬菜、浆果、柑橘类、芦笋、酪梨、甜菜叶、西兰花、甘蓝、菜芽、洋香瓜、醋粟、葡萄柚、无头甘蓝、柠檬、芒果、芥末叶、洋葱、柳橙、木瓜、香菜、豌豆、甜椒、柿子、菠萝、萝卜、玫瑰实、菠菜、草莓、番茄、水田芥。

[注意事项]

阿司匹林、酒、镇痛剂、兴奋剂、抗凝血剂、口服避孕药、类固醇等，都可能降低体内维生素 C 的含量。糖尿病患者的药及磺胺剂，与维生素 C 一起服用时，可能会失去药物的功效。孕妇每日服用的量，不该超过 5000 毫克。婴儿可能形成对此补充品的依赖，且产生坏血症。

维生素 D

此维生素对钙、磷的吸收及利用是必要的。它对小孩骨骼与牙齿的正常生长及发育尤其重要。在骨质疏松症、软骨症及缺乏钙质的预防和治疗上需要维生素 D，它同时也可增强免疫力。

我们从食物或营养补充品中获得的维生素 D 是未完全被活化的状态。在它完全具有活性之前，先后在肝及肾中转化。肝或肾有毛病的人，比较易患骨质疏松症。太阳中所含的紫外线能被转化成维生素 D，故将脸及手臂暴晒于太阳下，一周三次，对维生素 D 的制造是有效的。

[来源]

鱼肝油、多脂的咸水鱼、添加维生素 D 的乳制品、蛋、奶油、蛋黄、比目鱼、肝、牛奶、燕麦、沙丁鱼、番薯、植物油。维生素 D 也可由阳光照射皮肤的作用中被转化成。

[注意事项]

经年累月地每日服用 65000 国际单位以上的量可引发毒性。

维生素 D 应该与钙一起摄取。小肠、肝脏及胆囊有毛病都会干扰维生素 D 的吸收。使用降低胆固醇的药、制酸剂、矿物油或类固醇激素(皮质酮)、可的松也会干扰其吸收。噻嗪类利尿剂会破坏钙与维生素 D 的比例。

维生素 E

维生素 E 是一种预防癌症及心脏血管疾病的抗氧化剂。它改善血液循环、修护组织,同时对胸肌纤维化及经前期综合征症状的治疗均有帮助。它也促进正常的凝血,并减少伤口的伤疤、减低血压、防止白内障、改善运动机能及腿部痉挛。借由抑制脂质过氧化及形成自由基,维生素 E 也防止细胞受损。它延缓老化,并可能防止老人斑。身体需要锌来维持维生素 E 在血液中的适当量。

[来源]

冷榨植物油、全麦等谷类、深色叶菜类、核果及种子、豆类植物。富含维生素 E 的食物还有干豆、糙米、玉米粉、蛋、脱水肝、牛奶、燕麦、内脏、番薯、小麦胚芽。

[注意事项]

糖尿病、风湿性心脏病或甲状腺机能亢进患者,均不宜服用高剂量。患有高血压者开始服用时宜少量,然后逐渐增加到需要的量。

维生素K

血液凝固时需要维生素K,它可能与骨骼形成有关。它也可能预防骨质疏松症。此外,维生素K将葡萄糖转化成肝糖以贮存在肝中。

[来源]

西兰花、深绿色叶菜类、大豆、糖蜜、甘蓝、菜花、蛋黄、肝、燕麦、黑麦、红花油、小麦。

[注意事项]

在怀孕的最后几周使用高剂量的合成维生素K可能导致胎儿中毒。过量地使用会导致发红及出汗。抗生素会干扰维生素K的吸收。

生物类黄酮

虽然严格来说,生物类黄酮不算真的维生素,但有时,它仍被称作维生素P。生物类黄酮增加维生素C的吸收,它们宜一起服用。各式各样的生物类黄酮产品有许多,包括橙皮苷、槲皮素及芸香素。人体无法自制此维生素,必须由饮食中补充。它们被广泛地使用于运动用伤害,因其能减轻疼痛、肿块、淤血。它们也能降低腿部及背部的疼痛及缓和长期性出血与血清缺钙的症状。生物类黄酮与维生素C互相合作,以保护微血管的结构。此外,它有抗菌功效及促进血液循环、刺激胆汁形成、降低胆固醇含量、防治白内障。与维生素 C 一起服用,还能减轻口部疱疹的症状。

槲皮素是一种发现于蓝绿藻内的营养补充品, 它可能有效地防治哮喘。菠萝酶和栎素彼此互助,宜一起服用,以增加吸收效果。

[来源]

柳橙类的皮与果肉之间的白色物质、青椒、荞麦、黑醋栗均含有生物类黄酮。其他来源则有杏果、樱桃、葡萄柚、葡萄、柠檬、柳橙、李、玫瑰宝。

[注意事项]

过度服用可能引起腹泻。

辅酶 Q10

辅酶 Q10 与维生素相似,但或许是个更强的抗氧化剂。它也被称作泛醌。有十种常见的辅酶 Q,但只有辅酶 Q10 见于人体组织。辅酶 Q10 随着年龄逐渐增而渐减,必须由饮食中补充。它在免疫系统的功效及老化的作用上扮演举足轻重的角色。据英格兰机构曾报道,单单辅酶 Q 本身,就足以减低患有肿瘤及血癌的实验动物的死亡率。临床试验与化学疗法并用,以减低这些药物的副作用。

在日本,它被用来治疗心脏疾病及高血压,且也被用来增强免疫系统。研究已显示使用辅酶 Q10 有益于过敏、哮喘及呼吸疾病的患者, 同时也用来治疗一些精神异样的疾病如精神分裂症及阿尔兹海默氏症。它还有助于防止老化、肥胖、念珠菌病、多发性硬化症、牙周病、糖尿病。由于辅酶Q10对免疫系统的好处相当多,治疗艾滋病(AIDS)将是研究辅酶Q10的首要目标。稍早,日本人的研究显示辅酶Q10能保护胃及十二指肠的内壁,它或许有助于十二指肠溃疡的治疗。辅酶Q10能对抗组织胺(有扩张血管的作用等)、哮喘及过敏。使用辅酶Q10将为癌症的预防及控制跨出一大步。

购买辅酶Q10时要注意,并非所有的产品都会提供最纯的辅酶Q10。它的天然颜色是亮黄色,且当它呈粉末状时,是近似无味。辅酶Q10须远离光与热。纯的辅酶Q10在温度46℃时,将会变质坏掉。

[来源]

鲭鱼、沙丁鱼含有高量的辅酶Q10。

[注意事项]

至今,尚无文献记载服用辅酶Q10会产生副作用。

三、矿物质

矿物质和维生素一样也扮演着辅酶的角色,同时有些矿物质是构成骨骼、细胞中的重要材料。体液中保持恰当的矿物质浓度以及维持正常的生理功能都需要矿物质的参与。

对人体来说矿物质可以分为两类:宏量矿物质和微量矿物质,也称宏量元素和微量元素。宏量元素有钙、镁、钠、钾、磷等,微量元素有锌、铁、铜、锰、铬、硒、等。人体对宏量元素的需求量大于微量元素，但是两者对人体来说都是必不可少的。这些矿物质主要存在骨骼、肌肉和体液当中。

钙

钙能够维持强健的骨骼和牙齿健康以及正常的体内离子平衡。肌肉的生长、收缩、肌肉痉挛的预防需要钙。神经系统的强化，特别是神经传导也需要钙的参与。

钙的缺乏可能会导致肌肉痉挛、神经紧张、心悸、指甲脆、湿疹、高血压、关节痛、胆固醇升高、风湿性关节炎、蛀牙、失眠、软骨病及手脚麻痹等。

[来源]

乳制品、鲑鱼、海鲜、绿叶蔬菜、杏仁果、芦笋、西兰花、甘蓝、豆角、无花果、豆腐、燕麦等。

[注意事项]

草酸(常见于大豆、菠菜、腰果等)在小肠易与钙结合，产生不易吸收的物质，而影响钙的吸收。

钾

钾协助输送氧气到大脑，增加思维的清晰，还能够降低血压、预防中风,并协助正常的肌肉收缩,有助于对过敏症的治疗。如果缺乏钾,易导致浮肿和低血糖症等。

[来源]

乳制品、鱼、水果、豆类、家禽肉、蔬菜、粗粮、香蕉、蒜、马铃薯、葡萄、地瓜等。

[注意事项]

利尿剂、肾脏病、下痢等会破坏钾的浓度。紧张过度分泌的激素会影响细胞内外钾和钠的比例。

铬

铬能够促进发育,帮助胆固醇、脂肪和蛋白质的合成,预防高血压,并有降血压的作用,同时还有预防糖尿病的作用。如果缺乏铬,可能导致动脉硬化和糖尿病。

[来源]

糙米、全谷类、玉米、香菇、马铃薯、奶酪等。

[注意事项]

优质的复合维生素补充品中一般都含有一定量的铬。

铁

铁能够促进发育及维护免疫系统的健康，并可预防和治疗因缺铁而引起的贫血，使皮肤恢复较好的色泽。如果体内缺铁，易导致缺铁性贫血、毛发脱落、疲劳、头晕等症状。

[来源]

牛心、鱼类、蛋黄、坚果、豆类、芦笋、燕麦、甜菜等。

[注意事项]

两岁以下的幼儿不宜摄入过量的铁，易发生危险。患有遗传性血色素沉着症的人不宜多服。

镁

镁协助抵抗抑郁症，促进心脏、血管的健康，预防心脏病发作，防止钙在组织和血管中沉淀，并能预防肾结石和胆结石的发生。镁和钙协同作用是很好的天然镇定剂。

[来源]

乳制品、鱼、肉、海鲜及其他食物。

[注意事项]

酒精、利尿剂、下痢、大量的锌及维生素 D 会增加身体对镁的需求。大量的脂肪、鱼肝油、钙会减少身体对镁的吸收。含有大量草酸的食物如菠菜、可可、茶等会抑制镁的吸收。

锰

锰有助于蛋白质和脂肪代谢、保持神经及免疫系统健康,调节血糖水平,预防骨质疏松,增强记忆力,缓解神经过敏和烦躁不安。

[来源]

坚果类、绿叶蔬菜、豌豆、甜菜、全谷类等。

[注意事项]

经常头晕眼花的人应该从食物中摄取锰。

硒

硒是一种非常重要的抗氧化剂,有助于改善女性更年期潮红热及更年期其他症状,同时有助于保护免疫系统。如果缺乏硒,直接表现是未老先衰。

[来源]

肉类、全谷类、糙米、鸡肉、蒜、洋葱、鲑鱼、海鲜、小麦胚芽、蔬菜等。

[注意事项]

摄入 5 倍以上时会出现中毒现象。

钠

钠能够协助神经和肌肉的正常运作。缺乏钠的情况很少见。但缺乏钠时会引起头脑不清、低血糖、体弱、脱水、昏睡、心悸等症状。

[来源]

几乎所有的食物中都含有钠。

[注意事项]

摄入过量的钠会导致水肿、高血压、缺钾、肝肾受损等问题。

锌

锌能够促进免疫系统的健康及加快伤口愈合，消除指甲上的白斑点，并有助于恢复前列腺的功能和生殖器官的发育，保护肝脏免受化学伤害。如果体内缺锌，容易导致前列腺肥大、动脉硬化、生殖功能不足。

[来源]

鱼、豆类、牡蛎、海鲜、全谷、蛋黄、菇类、胡桃、南瓜子、各种种子、葵花子等。

[注意事项]

每天摄入锌超过100毫克会抑制免疫系统，低于100毫克则能够刺激免疫反应。

后　记
康复就像给房子大扫除

　　我和太太度长假回来,发现房子里面堆满了灰尘和杂物,于是我们决定来个大扫除。这个决定几乎让我们累得半死。我们花了很多的时间和精力将藏在房子中的各种垃圾翻出来,丢到客厅,加上本来就堆在客厅的杂物,整个客厅就像一个垃圾场,比没有收拾前还要混乱好几倍。屋子里的场景"乱不忍睹"。我们在垃圾堆中穿梭,忙碌,将垃圾分类、再将决定要扔掉的垃圾集中在一起,统一扔掉;把误以为垃圾的物品重新整理放在适当的位置。渐渐地,堆在客厅的垃圾少了,虽然还是很脏,但物品都找到了合适的位置,看上去不再那么杂乱无序。当所有的物品重新排放好后,我们开始清扫,先给窗户、门、墙壁做了清洁,然后清洁地板,所有清洁完成后,我们累得瘫在沙发上, 欣赏着自己好久不曾有过的劳动成果——亮堂的屋子,整齐的物品,整个屋子就像新的一样。

　　其实,康复也像给房子大扫除。康复的过程绝对不是一个轻松的过程,你必须承受许多必须承受的痛苦。你必须经历平衡打破过程中,身体出现的各种更加奇特的异常指标,此时你还不能放弃动摇,因为这还只是康复中的一个阶段,身体在不停地将积累在体内的垃圾清除体内的过程中你如果停在那里, 那么身体便可能受到极大的伤害。就像假如屋子收拾到一半你停下来的话,那么屋子肯定要比没有收拾前还要混乱。等混乱的阶段过去之后,身体开始重新整理各种资源,把身体调整到最佳状态,在调整完成之后整个康复过程才算完成。

很多朋友半途而废,把身体推向另一个受伤的深渊。这是非常可惜和令人遗憾的事情。健康属于懂得选择和坚持的朋友,愿每个希望得到健康的朋友,都能够坚持把大扫除的过程彻底完成,最终能得到良好的健康,免受疾病的困扰!

曾志锋

2006 年 6 月

致 谢

本书得以顺利出版首先要感谢我的太太对我写作及工作的支持,没有她的支持我无法如期地完成本书的写作。还要感谢我的父母对我的栽培和付出,没有他们含辛茹苦的付出,也不可能有我今天的成绩。

感谢我的博士生导师周天鸿教授,老师渊博的知识和宽阔的胸怀,无论是在学术还是为人处事上都给予了我极大的启迪,并感谢老师在我处于人生低潮时给予我的帮助。

本书的出版,必须感谢我的好朋友及事业中的良师张瑜女士,她是一位非常睿智的、成功的女士,拥有和谐的家庭和良好的事业基础。是她为本书的出版多方奔走,感谢她无私的付出。

书稿形成过程中,林海峰先生对疾病的独特见解给了我很大的启发,另外感谢美国的健康专家雷蒙德·弗朗西斯博士,在许多健康问题上的见解不谋而合,对我的知识体系形成起到了很大的作用。

另外感谢出版社的朋友们,感谢他们为健康理念的传播提供了一个平台。

声明：

　　虽然作者和出版者已尽最大努力保证本书在出版前所载内容是准确的，并且是最新信息，但书中的建议和方法也可能不适合一些人的自身状况，而且在具体环境的应用还取决于诸多因素，所以读者有必要向合适的专业人士咨询。无论是作者还是出版者都不可能对书中出现的瑕疵和疏漏，或者由于读者信赖本书而应用或错误应用本书的建议而产生的任何损失负责或做出承诺。